you & mccuskey

La collection design&designer est éditée
par PYRAMYD NTCV
15, rue de Turbigo
75002 Paris France

Tél. : 33 (0)1 40 26 00 99
Fax : 33 (0)1 40 26 00 79
www.pyramyd-editions.com

Direction éditoriale : Michel Chanaud, Céline Remechido
Suivi éditorial : Émilie Lamy
Traduction : Laurence Richard
Correction : Maud Foutieau (fr.), Sara Brady (angl.)
Conception graphique du livre : Pierre Seydoux
Conception graphique de la collection : Super Cinq

ISBN : 978-2-35017-183-8
ISSN : 1636-8150
Dépôt légal : décembre 2009
Imprimé en Italie par LEGO

you & mccuskey

préfacé par roelien plaatsman

Observer les choses avec suffisamment de recul s'avère souvent utile, si ce n'est essentiel, dans nombre de professions, et le design graphique ne fait pas exception à la règle. Ce recul, Rowan McCuskey le cultive. Sur la scène graphique néerlandaise, il se définit comme un marginal. Ce qu'il est. Au sens noble.
C'est en tant qu'éditeur du bimensuel de design néerlandais *Items* que j'ai connu Rowan McCuskey lorsqu'il a pris en charge la rubrique « Jij & McCuskey bezoekt » (You & McCuskey en visite), dont il est le rédacteur et l'illustrateur depuis plus de deux ans maintenant. Lors de notre première rencontre, pendant un événement semi-officiel, il était apparu vêtu d'un costume doré, telle une créature de l'espace (ou, dans le même ordre d'idée, un car de hippies ayant franchi la barrière temporelle). Prise de position courageuse, compte tenu de la soirée en question où le troupeau d'hommes et de femmes présents arborait du noir bon teint ou du jeans, tout aussi convenu.
En réalité, ses premières rubriques pour le magazine *Items* étaient des productions *FAMC*, FrankAnne & McCuskey, rédigées en collaboration avec son ami et camarade d'études Martyn F. Overweel. Après quelques numéros délirants, Overweel cessa sa collaboration et McCuskey s'appropria totalement la

Looking at subject matter from a distance can be useful and even necessary in any profession. It is especially useful in graphic design. Rowan McCuskey takes his distance. He aims to be an outsider in the Dutch graphic design scene. And he is – in a good way.
As an editor of the bimonthly Dutch design-magazine *Items*, I got to know Rowan through his Jij & McCuskey bezoekt (You & McCuskey Visits) columns, which he has written and visualized for over two years now. The first time we met, during a semi-official gathering, he was wearing a golden outfit and looked like he had dropped in from outer space (or, in much the same spirit, from Ken Kesey's hippie bus back in the sixties). A brave statement, considering the event—just about everyone present belonged to a human herd dressed either in the ubiquitous designer black, or in the equally ubiquitous jeans wear.
Actually the first columns he did for *Items* were *FAMC*, FrankAnne & McCuskey, productions, in collaboration with his friend and former classmate Martyn F. Overweel. After a few wild issues, Overweel decided to quit the job. McCuskey continued the columns on his own, and really grew into the task at hand. The assignment was

rubrique. Son concept : visiter les pépinières créatives des Pays-Bas – ces locaux à loyer modéré mais à fort impact où de (plus ou moins) jeunes ou futurs talents travaillent ensemble et se croisent pour nous livrer leurs impressions, en texte et en image. Au fil de son travail, grâce à sa curiosité, sa vivacité d'esprit, sa faculté d'observation et son sens irréprochable du style, McCuskey fut confronté à toute une palette de situations et d'individus, telle une Alice au pays des merveilles contemporaine au regard distancié. Naturellement, pour les lecteurs assidus de la rubrique « Jij & McCuskey bezoekt », il devint assez vite évident que l'attitude de McCuskey envers le monde et ses créatures n'était pas dénuée de complexité. McCuskey aime deviser sur des sujets aussi divers que les odeurs (corporelles), l'hygiène, le racisme, l'ambiance, le temps, les sentiments des gens et les modes. Les résultats visuels de ses périples collent toujours parfaitement au sujet qu'il traite tout en se révélant extrêmement personnels. Drôles et provocants. Parfois légèrement dérangeants. Bien sûr, en définitive, la pépinière que nous visitons au fil des colonnes n'est autre que le cerveau de Rowan McCuskey.
Né le 14 novembre 1975 dans un petit village du Vermont aux États-Unis, Rowan McCuskey émigre aux Pays-Bas alors qu'il est encore tout jeune. Il conserve de sa langue d'origine de légères intonations

to visit Dutch creative incubators, the low-rent but high-impact places where young(ish) creative talents and creative wannabes work and get together, and to give us your impression in text and image. While gathering material for this, McCuskey's curiosity, wit, observant eye and impeccable sense of style carried him through very diverse situations and encounters. He almost seems to be a modern-day Alice in Wonderland, but most of the time he keeps his cool. Still, to loyal readers of You & McCuskey Visits it must by now be obvious that McCuskey's attitude towards the world and its creatures is not uncomplicated. He broods about things like (body) odours, hygiene, racism, atmosphere, the weather, people's feelings and fashion choices. The visual results of his trips are always specific to the subject and highly personal at the same time. Funny and provocative. Sometimes slightly unsettling. Of course in the end the incubator we get to know best is Rowan's mind.
Rowan McCuskey was born on November 14, 1975, in a small, charming village in Vermont, USA. He moved to the Netherlands as a toddler, but even now his speech has faint traces of an American accent. Before learning graphic/typographic design at the Koninklijke Academie voor Beeldende Kunsten (KABK) in the Hague, he

américaines. Pendant une courte période, il se consacre à la physique du mouvement avant d'étudier le design graphique et la typographie à l'École des beaux-arts de La Haye. Son intérêt pour le mouvement est perceptible dans son travail : bien plus que chez la majorité des designers, il nourrit un véritable intérêt pour l'aspect et les fonctions physiques des choses. L'École des beaux-arts de La Haye prône une idée relativement stricte de la forme et de son application dans la pratique du design professionnel, ce dont McCuskey n'a pas conscience lorsqu'il opte pour ce parcours universitaire. Parcours qu'il mène néanmoins à son terme avant de commencer, une fois son diplôme en poche, à travailler pour plusieurs agences et studios de création. Mais il n'est alors pas prêt à entrer dans « le monde réel », qui semble, selon lui, mépriser plus qu'encourager les sentiments personnels.
Pour pouvoir travailler en toute liberté, McCuskey fonde *FAMC* avec Martyn F. Overweel. Tout deux ressentent une « sensibilité décuplée à la limite du supportable et une totale aversion pour le monde des adultes ». Ils rejettent toute structure et toute communication professionnelles, même sous leur forme minimaliste. Comme ils partagent une certaine idée de l'esthétique, leur collaboration leur procure pendant un moment une forme de soulagement. Véritable terrain de jeu, *FAMC* leur donne

briefly tried to study motion technology. This is interesting, because he still seems rather more preoccupied with physical functions and appearances than most graphic designers. The KABK upholds a relatively strict idea of form and application in the professional design practice, something McCuskey had not realized when he settled for his academic experience. He got through nevertheless, and after graduating even started working for several design studios and companies. But he wasn't ready for the so-called real world. It seemed to rule out personal feelings.
To give himself a free range McCuskey established *FAMC* with Overweel. Together they suffered from an "unbearable over-sensitivity and huge aversion to the grown-up world." They dismissed even the merest whiff of corporate surroundings and corporate communication. As they also shared aesthetic preferences, working together seemed a relief, for a while. *FAMC* served as a common playground, which allowed them to fool around, and to comment on and provoke the establishment and basically everyone. In 2004, right after establishing *FAMC*, McCuskey also started working independently as You & McCuskey, to try and find his

l'opportunité de se défouler, de donner leur avis, de provoquer l'establishment... et le reste du monde. En 2004, juste après la création de *FAMC*, McCuskey commence à travailler en tant qu'indépendant par le biais de You & McCuskey, afin de trouver son identité professionnelle et découvrir ce que pourrait être sa contribution au monde. *FAMC* cesse alors son activité, bien que, de temps à autres, la patte caractéristique de Martyn F. Overweel s'offre une petite incursion, par le biais de ses dessins, dans les projets de McCuskey.
You & McCuskey conçoit les identités visuelles d'entreprises et d'associations. À l'instar de toutes les agences de design dignes de ce nom, ce studio propose des prestations clés en main, depuis la conception, jusqu'à la communication et la création. En tant que designer, McCuskey travaille sur l'identité visuelle, la communication, la pub, le graphisme, la décoration intérieure, le multimédia et les expositions. Comme nombre des projets qu'il accepte dispose d'un budget serré, McCuskey est une sorte d'homme orchestre qui prend tout en charge, de la conception à l'exécution en passant par la direction artistique. Même sur des projets aux budgets plus conséquents, il finit généralement par assurer l'ensemble des prestations car il est le seul à avoir en tête le résultat définitif. Ce travail intuitif et solitaire confine

professional identity and figure out what his contribution to the world would be. *FAMC* was put on hold, though occasionally Overweel's distinctive drawings pop up in McCuskey's projects.
You & McCuskey takes care of the visual identities of companies and organizations. Like any design studio worth it's while it offers a mix of concept, communication and creation. As a designer McCuskey focuses on branding, advertising, graphic, interior, multi-media and exhibition design. Because many of his projects are low-budget he is usually all-in-one: designer, copywriter, art director, etc. Even when budgets stretch further, he still ends up carrying out his designs himself most of the time, as he alone knows exactly how the end result must feel. There seems to be a paradox here, as his intuitive, solitary work process forces him to do things while not knowing how they will turn out. But the unease and stress caused by this insecurity are important. Creating situations that allow him to experience new sensations is what keeps his work interesting to him. Until now You & McCuskey has worked for Nike, Concrete Image Stores, Alejandro Jr., Cloud 9, Rijkswaterstaat, <>TAG galleries, *Items*, Philips, Hort, Dancing Matters, Jetlag Lounge and Twopoints, among others. At the

au paradoxe, car McCuskey ne sait jamais à l'avance l'aspect final que prendront ses créations. Mais c'est ce malaise, ce stress et cette insécurité qui lui donnent l'inspiration pour progresser : il puise tout l'intérêt de son travail dans des situations lui permettant d'expérimenter des sensations nouvelles. À ce jour, You & McCuskey compte parmi ses clients Nike, Concrete Image Stores, Alejandro Jr., Cloud 9, Rijkswaterstaat, <>TAG Galleries, *Items*, Philips, Hort, Dancing Matters, Jetlag Lounge et Twopoints, entre autres. Rowan McCuskey enseigne aussi la communication multisupport à l'École Willem de Kooning de Rotterdam. Fait caractéristique chez lui, il commença à enseigner pour voir s'il saurait relever le défi.
Sur le plan professionnel, McCuskey pourrait-il être taxé de masochiste ? Au contraire. Comme il le fait remarquer, ses précédentes expériences lui ont appris que travailler pour des employeurs qui attendent des solutions génériques se révèle être une source d'ennui et de frustration mutuelle. Il ne peut ignorer ce qu'il ressent et ne veut catégoriquement pas vivre de cette façon. Pour lui, l'instauration de conditions de travail agréables et légèrement déroutantes est une priorité. À l'évidence, son objectif est de gagner suffisamment d'argent pour que tout le monde soit heureux. Sur ses projets, il s'efforce de saisir l'essence de ce qu'on attend de lui ; ses créations présentent toujours une certaine démesure

moment Rowan also teaches Cross-media Advertising at the Willem de Kooning Academy in Rotterdam. Characteristically, he started doing this because he didn't know whether he could pull it off.
Does all this mean that, professionally speaking, McCuskey is a masochist? On the contrary. As he points out, he learned from previous experience that working for employers who expect existing generic solutions is boring and ends up in mutual frustration. He cannot ignore what he feels, because he emphatically does not want to function that way. To him, organizing pleasant and slightly confusing working circumstances is a priority.
But so is the obvious: earning enough money to keep everybody happy.
When he is given an assignment he tries to catch the essence of what is asked from him and then blows up his views on the case to proportions that stand out and have a certain bravura. His personal associations on the given subject are woven into the design. In this phase he finds the use of typography interesting, because it lends itself to communicating on two different levels: text and the shape of characters. McCuskey will never be a font freak, but typography helps him get the story and message across. Just look

teintée de brio. Les associations personnelles qu'il établit sur le sujet donné imprègnent son travail. Dans cette phase, il n'hésite pas à expérimenter avec la typographie, qui lui permet de communiquer à deux niveaux différents, celui du texte lui-même et celui de la forme des caractères. Sans être « accro » aux polices de caractères, McCuskey utilise la typographie pour transmettre tout à la fois l'histoire et le message. Il suffit, pour s'en convaincre, de regarder les créations réalisées pour le congrès et les expositions « Augmented Reality » organisés par <>TAG en 2008 : ses créations sont nettes, précises et poétiques.
Un thème récurrent chez lui est l'exploration des limites : mauvais conducteurs, homosexuels frustrés, dictateurs, « loosers » avant leur chute, adolescents malheureux... toute personne qui (inconsciemment) commet un suicide social. En définitive, chacun d'entre nous poursuit une quête et expérimente de temps à autre cet état transitoire qu'est le bonheur de trouver. McCuskey se soucie donc peu de surprendre ses employeurs. Ils cherchent, il les aide à trouver.
Rowan McCuskey ne se considère pas seulement comme un designer graphique ou de communication d'entreprise, ceci ne lui procurant pas le frisson qu'il recherche. Il s'intéresse davantage à l'art et

at his designs for the symposium and exhibitions Augmented Reality, organized by <>TAG in 2008: they are clear, to the point and poetic.
A recurring theme in his illustrative oeuvre is people searching for their boundaries: incompetent conductors, dictators, gays feeling ill at ease, losers just before they've lost, people (unconsciously) committing social suicide, unhappy teenagers. In the end everybody is looking for something and occasionally recognizes the temporary happiness of finding. So McCuskey doesn't worry about causing his employers any anxiety. They search, he helps them to find.
Rowan McCuskey doesn't think of himself as just a graphic or corporate communications designer. He rarely gets excited about the work of graphic designers or corporate communication bureaus, and is more interested in art, business and in the possible friction and cooperation between those opposites. He occupies himself with projects that demand a communicative format, and with "trying to understand things." When he was asked to design a collection of silver accessories and the choreography and costumes for a dance perform-

au monde professionnel, ainsi qu'à l'articulation – et aux frictions – possible entre ces deux opposés. Il prend en charge des projets exigeant ce type d'articulation, qui « tentent de comprendre les choses ». Lorsqu'on lui a demandé de concevoir une collection d'accessoires en argent ou de créer la chorégraphie et les costumes d'un spectacle de danse, il a accepté. Bien évidemment.
À l'heure actuelle, son objectif à court terme est de gagner encore plus d'argent, de jeter en l'air d'autres billes et de voir ce qui se passe. Une chose est sûre : Rowan McCuskey est encore relativement jeune. Il peut porter un costume doré et échapper au ridicule (pour d'obscures raisons, il se prend lui-même comme modèle pour des nus). Pour le moment, il tente de trouver un équilibre entre des travaux satisfaisants sur le plan artistique et gratifiants sur le plan commercial : nul doute qu'il a suffisamment de talent pour transformer les seconds en premiers.

Roelien Plaatsman,
rédacteur au magazine *Items*

ance, he said yes. Of course. Right now his short-term goal is earning more money, throwing more balls in the air and seeing what happens.
One thing is obvious: Rowan McCuskey is still relatively young. He can wear a golden suit and get away with it. Hell, he can even take it off and get away with it (for some reason he frequently is his own nude model). Right now he is trying to find a balance between artistically satisfying and commercially interesting work, but he is talented enough to turn the latter into the first.

Roelien Plaatsman,
editor at *Items* magazine

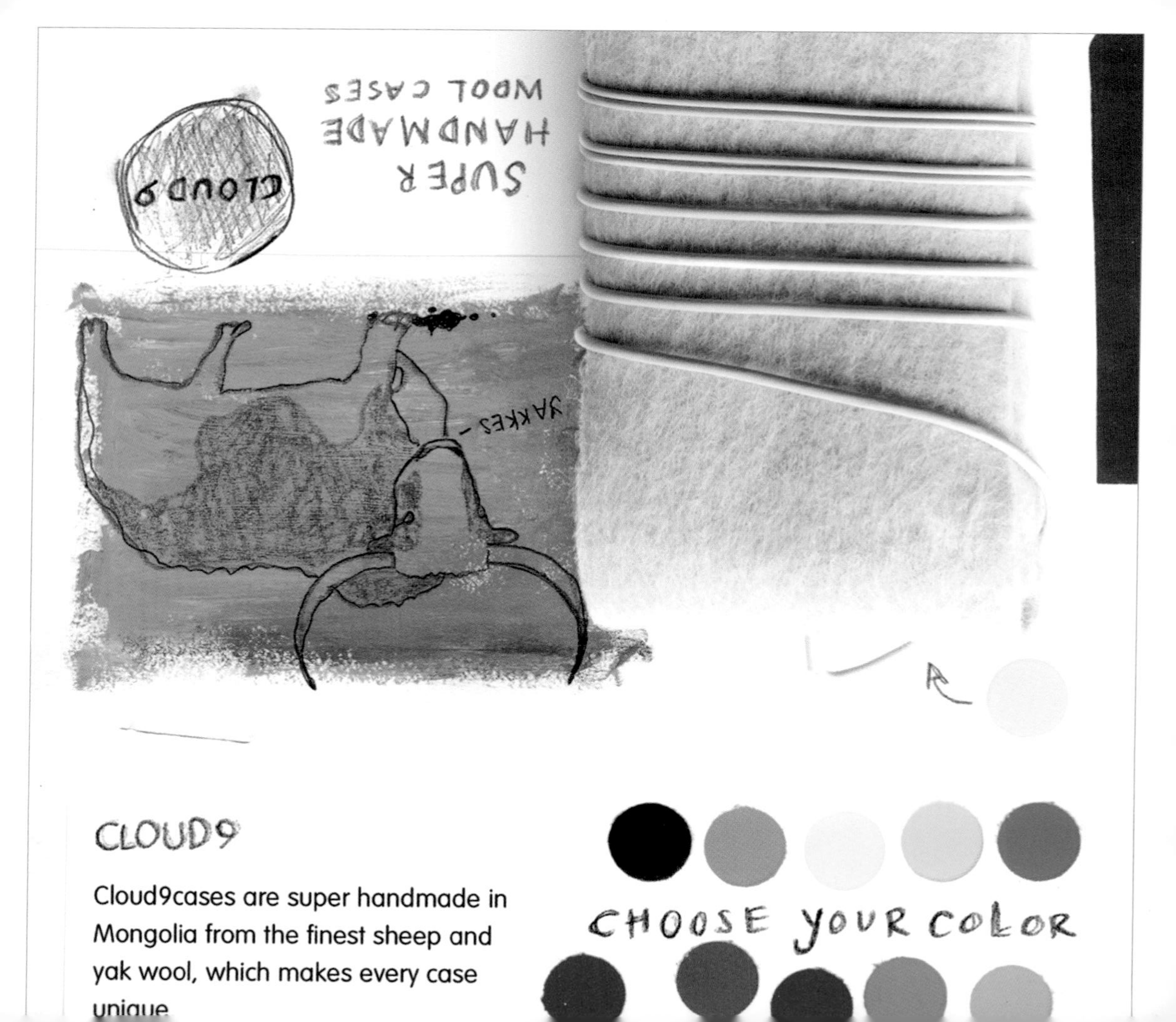

SUPER
HANDMADE
WOOL CASES
CLOUD9
YAKKES
CHOOSE YOUR COLOR

CLOUD9

Cloud9cases are super handmade in Mongolia from the finest sheep and yak wool, which makes every case unique

www.cloud9cases.com

Cloud9cases— 。最上の羊毛とヤクの毛をつかい、職人たちによるゼロからのハンドメイド。機械は一切使用しない。そのこだわりがそれぞれのケースを唯一なものに。Cloud9casesのカラーバリエーション、その他詳細をウェブサイトにてご覧ください。

www.cloud9cases.jp

CLOUD 9 PRODUCTS

Cloud 9 CasesはiPodケースをはじめ様々なケースを製作しています。
白や黒、その他の色は100%ウール。グレーのみヤクとウールの混毛になります。一つ一つのケースが完全な手作りのため、少しずつ違った表情があり、Cloud 9 Casesの魅力の一つとなっています。日々の生活に心地よさ与える商品を通して世界の人々に少しでも幸せを。それがCloud 9が考える高品質です。

CLOUD 9 MATERIALS

Cloud 9 Casesはsuper handmade。モンゴルで入手可能なウールの中でも最上質のものを使用しています。モンゴルは"囲みのない国"として知られていますが、その名のとおり、モンゴルで飼育されている羊やヤクたちはフェンスのない大草原でのびのびと暮らしています。1年のうち9ヶ月は氷点下となるほど寒いのですが、その厳しい気候のおかげでモンゴルの羊とヤクたちは他では見つける事のできないような上質のウールを生み出してくれます。ウールが選定された後まるで繭のような、つなぎ目のないフェルトが織り込まれて ゆきます。家までもフェルトで作ってしまうモンゴルのフェルト技術は多世紀に渡り、歴史に育まれた技術は他に類を見ません。フェルトは無加工の状態ですでに耐水性があり、その柔らかさゆえ、他のどんなケースよりもやさしく美しく、あなたの大切なアイテムを包み、傷汚れから守ってくれます。材料調達や工程上モンゴルでの生産が困難である場合に限りネパールまたはイタリアで生産しています。

CLOUD 9 CASES

アムステルダム在住のCloud 9の生みの親、Martijn(マータイン)がオランダからモンゴルまでおよそ7000 kmのバイク旅行を計画したのが始まりでした。ガールフレンド(今は奥さん)のEvelien(エヴェリン)も飛行機で合流したあと、モンゴルに入り、立ち寄った小さな村で小さなフェルト工場を運営する13人の女性達に暖かく出迎えられました。その女性たちのほとんどは複数の子供たちを女手一つで養うお母さんです。共産主義と資本主義、伝統的な遊牧民の生活と欧米化の狭間に苦しむモンゴルでは、父親のわからない子供が多く、母親はたくさんの子供を育てるのに精一杯。それでも多くの子供たちが孤児となり、厳しい冬に命を落としています。そんなお母さんたちの作るフェルト製品が工業デザイナーであるMartijnの目にとまり、2ヶ月の間にiPodケースをはじめいろいろなケースがMartijnとEvelien、それと13人の女性たちの手で作られました。MartijnとEvelienは現在アムステルダムに戻り、それぞれコンサルタント、ファッション誌の編集者として働く傍ら、Cloud 9プロジェクトに従事しています。

更に詳しい情報は、www.cloud9cases.comをご覧ください。

ALEJANDRO JR. / Cloud 9 Division
Willem Barentszstraat 11-19, 3165 AA Rotterdam, The Netherlands
Phone: +31 (0)10 262 3977, Fax:+31 (0)10 262 3656
Email: info@cloud9cases.com

CLOUD 9 PRODUCTS

Cloud 9 CasesはiPodケースをはじめ様々なケースを製作しています。
白や黒、その他の色は100%ウール。グレーのみヤクとウールの混毛になります。一つ一つのケースが完全な手作りのため、少しずつ違った表情があり、Cloud 9 Casesの魅力の一つとなっています。日々の生活に心地よさ与える商品を通して世界の人々に少しでも幸せを。それがCloud 9が考える高品質です。

CLOUD 9 MATERIALS

Cloud 9 Casesはsuper handmade。モンゴルで入手可能なウールの中でも最上質のものを使用しています。モンゴルは"囲みのない国"として知られていますが、その名のとおり、モンゴルで飼育されている羊やヤクたちはフェンスのない大草原でのびのびと暮らしています。1年のうち9ヶ月は氷点下となるほど寒いのですが、その厳しい気候のおかげでモンゴルの羊とヤクたちは他では見つける事のできないような上質のウールを生み出してくれます。ウールが選定された後まるで繭のような、つなぎ目のないフェルトが織り込まれてゆきます。家までもフェルトで作ってしまうモンゴルのフェルト技術は多世紀に渡り、歴史に育まれた技術は他に類を見ません。フェルトは無加工の状態ですでに耐水性があり、その柔らかさゆえ、他のどんなケースよりもやさしく美しく、あなたの大切なアイテムを包み、傷汚れから守ってくれます。

CLOUD 9 CASES

アムステルダム在住のCloud 9の生みの親、Martijn(マータイン)がオランダからモンゴルまでおよそ7000 kmのバイク旅行を計画したのが始まりでした。ガールフレンド(今は奥さん)のEvelien(エヴェリン)も飛行機で合流したあと、モンゴルに入り、立ち寄った小さな村で小さなフェルト工場を運営する13人の女性達に暖かく出迎えられました。その女性たちのほとんどは複数の子供たちを女手一つで養うお母さんです。共産主義と資本主義、伝統的な遊牧民の生活と欧米化の狭間に苦しむモンゴルでは、父親のわからない子供が多く、母親はたくさんの子供を育てるのに精一杯。それでも多くの子供たちが孤児となり、厳しい冬に命を落としています。そんなお母さんたちの作るフェルト製品が工業デザイナーであるMartijnの目にとまり、2ヶ月の間にiPodケースをはじめいろいろなケースがMartijnとEvelien、それと13人の女性たちの手で作られました。MartijnとEvelienは現在アムステルダムに戻り、それぞれコンサルタント、ファッション誌の編集者として働く傍ら、Cloud 9プロジェクトに従事しています。

更に詳しい情報は、www.cloud9cases.comをご覧ください。

Cloud 9 Cases
Willem Barentszstraat 11-19, 3165 AA Rotterdam, The Netherlands
Phone: +31 (0)10 262 3977, Fax:+31 (0)10 262 3656
Email: info@cloud9cases.com

cloud9
cases.
Cloud 9 cases
visit www.cloud9cases.com
email info@cloud9cases.com
phone 03-5825-0911
(Senko Group)
CHRISTINA NOBLE
CHILDREN'S
FOUNDATION
CLOUD 9 CASES supports the Christina
Noble Children's Foundation.

CLOUD 9 CASES
NEW SUPER HAND MADE!
WWW.CLOUD9CASES.COM
WWW.CLOUD9CASES.COM
CLOUD 9 CASES
IPOD CASE
NEW SUPER HAND MADE!
WWW.CLOUD9CASES.COM

PAGES 12 À 17 :
CLOUD 9
CONCEPTION DE L'IDENTITÉ VISUELLE, PUBLICITÉ, RÉDACTION ET DIRECTION ARTISTIQUE POUR CETTE MARQUE D'ACCESSOIRES JAPONAISE. DÉCLINAISON D'ACCESSOIRES LUDIQUES AUTOUR DU THÈME DES VOYAGES, POUR SOULIGNER LES ORIGINES MONGOLES DE CES PRODUITS À L'ASPECT ARTISANAL.
WWW.CLOUD9CASES.JP
2006-2007

PAGES 12 TO 17:
CLOUD 9
CORPORATE IDENTITY CONCEPT, ADVERTISING, COPYWRITING AND ART DIRECTION FOR JAPANESE FELT ACCESSORY BRAND. HAPPY TRAVELING AS THEME TO ACCENTUATE THE MONGOLIAN ORIGIN OF THE HANDMADE FELT PRODUCTS.
WWW.CLOUD9CASES.JP
2006-2007

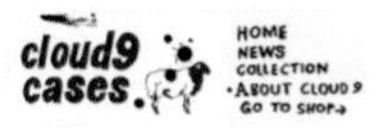

HOME
NEWS
COLLECTION
• ABOUT CLOUD 9
GO TO SHOP→

CHRISTINA NOBLE CHILDREN'S FOUNDATION

HISTORY

CLOUD 9 CASES

アムステルダム在住のCloud9の生みの親、Martijn(マータイン)がオランダからモンゴルまでおよそ7000kmのバイク旅行を計画したのが始まりでした。ガールフレンド（今は奥さんです）のEvelien(エヴェリン)も同行後で合流したあと、モンゴルに入り、立ち寄った小さな村で小さなフェルト工場を運営する13人の女性達に暖かく出迎えられました。その女性たちのほとんどは5人から8人の子供たちを女手一つで養うお母さんです。共産主義と資本主義、伝統的な遊牧民の生活と資本主義の狭間に苦しむモンゴルでは、父親のわからない子供が多く、母親はたくさんの子供を育てるのに精一杯。それでも多くの子供たちが孤児となり、厳しい冬に命を落としています。そんなお母さんたちの作るフェルト製品が工業デザイナーであるMartijnの目にとまり、2ヶ月の間にiPodケースをはじめいろいろなケースがMartijnとEvelien、それと13人の女性たちの手で作られました。Martijn とEvelienは現在アムステルダムに戻り、それぞれコンサルタント、ファッション誌の編集者として働く傍ら、Cloud9プロジェクトに従事しています。

PRODUCTS

Cloud 9 CasesはiPodケースをはじめ様々なケースも製作しています。このウェブサイトには載っていないアイテムもありますので、カタログをご希望の方は info@cloud9cases.comまでご連絡ください。Cloud 9 Casesはたくさんの色からお選びいただけます。.

白や黒、その他の色は100%ウール。グレーのみヤクとウールの混毛になります。一つ一つのケースが完全な手作りのため、少しずつ違ったところがあり、Cloud 9 Casesの魅力の一つとなっています。Every case is unique ...すべてのケースが個性的。

CHRISTINA NOBLE FOUNDATION

Cloud 9 Casesはモンゴルの人々に職を与えることを目的としたフェアトレードプロジェクトです。恵まれない子供たちを支援するChristina Noble Children's Foundationと協力し、売上の一部をつかい"Give a Ger" Projectをサポートします。"Give a Ger"の詳細 www.cncf.orgまで。

MATERIALS

Cloud 9 Casesはsuper handmade。モンゴルで入手可能なウールの中でも最上質のものを使用しています。モンゴルは"囲みのない国"として知られていますが、その名のとおり、モンゴルで飼育されている羊やヤクたちはフェンスのない大草原でのびのびと暮らしています。確かに1年のうち9ヶ月は氷点下となるほど寒いのですが、その厳しい気候のおかげでモンゴルの羊とヤクたちは他では見つける事のできないような上質のウールを生み出してくれます。ウールが選定された後、それぞれのケース用につくられた型を巻くように、まるで繭のような、つなぎ目のないフェルトが織り込まれてゆきます。家までもフェルトで作ってしまうモンゴルのフェルト技術は多世紀に渡り、歴史に育まれた技術は他に類を見ません。フェルトは無加工の状態ですでに耐水性があり、その柔らかさゆえ、他のどんなケースよりもやさしく美しく、あなたの大切なアイテムを包み、傷汚れから守ってくれます。

CONTACT

カタログ請求、お問い合わせ先：
info@cloud9cases.com

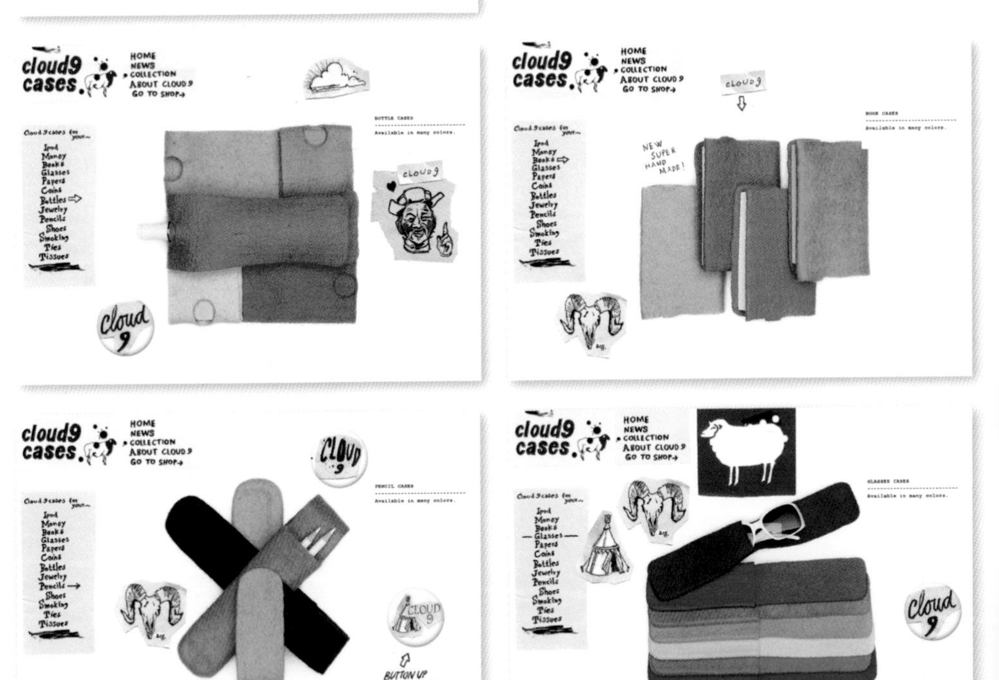

PAGES 18 À 21 :
NIKE EUROPE
CONCEPTION ET DESIGN
D'UNE EXPOSITION AMBULANTE
CÉLÉBRANT LES VINGT ANS
DES MODÈLES NIKE AIR MAX.
CRÉATION D'UN ENVIRONNEMENT
MUSÉAL POUR LA PRÉSENTATION
DES MODÈLES PHOTOGRAPHIÉS.
PAGES SUIVANTES : ESPACES
D'EXPOSITION À AMSTERDAM
ET ANVERS.
2006

PAGES 18 TO 21:
NIKE EUROPE
CONCEPT AND DESIGN
FOR A TRAVELING EXHIBITION
CELEBRATING TWO DECADES
OF NIKE AIR MAX SHOES.
TO SUPPORT THE NIKE
PHOTOGRAPHY A MUSEAL
ENVIRONMENT WAS CREATED.
NEXT PAGES: AMSTERDAM AND
ANTWERP EXHIBITION SPACES.
2006

of Nike Air Max. Over the years Air
a shoe. To emphasize and visualize this,
into a historical context.
masters, abstract ideas and principles were
selected elements and compositions. For
is choreographed for each shoe around a
by the shoe itself.

MASTERS
of AIR

MASTERS
of AIR

llection of still lifes inspired by the history of Air Max.

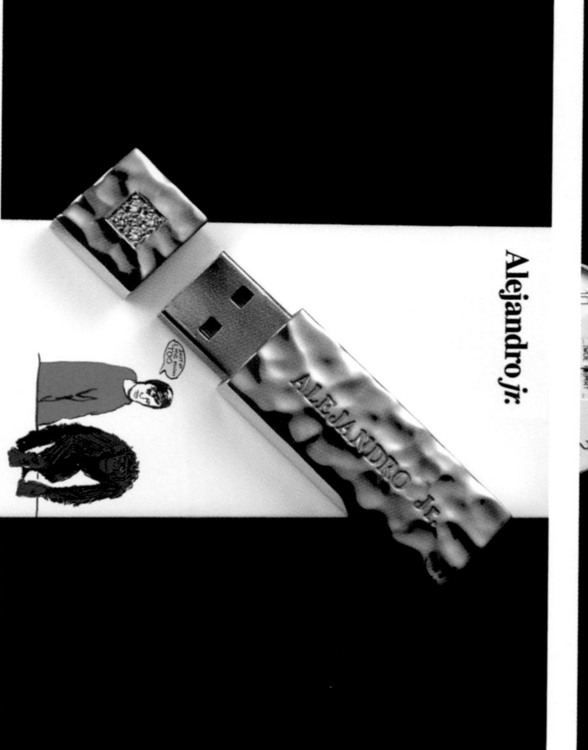

ALEJANDRO JR.
CONCEPTION ET DESIGN
DE L'IDENTITÉ VISUELLE
POUR CE CRÉATEUR DE BIJOUX
JAPONAIS. ASSOCIATION DE
CARACTÈRES EN TIMES ROMAN,
DE PHOTOS SUR PAPIER GLACÉ
ET D'ILLUSTRATIONS À L'ENCRE.

PAGE 23 : CONCEPTION ET DESIGN
D'UNE COLLECTION D'ACCESSOIRES
POUR L'HIVER 2009. CETTE COLLECTION,
BAPTISÉE « MELT », S'ARTICULE AUTOUR
DE LA FASCINATION DU POUVOIR DÉVORANT
DE L'AMOUR, DANS UN « FONDU » MÊLANT
CHOCOLAT, SOLDATS ET ARGENT.
2007-2009

ALEJANDRO JR.
IDENTITY CONCEPT AND DESIGN
FOR JAPANESE JEWELRY BRAND
MIXING TIMES ROMAN, SLICK
PHOTOGRAPHY AND MESSY
INK ILLUSTRATIONS.

PAGE 23: WINTER 2009 ACCESSORY
COLLECTION CONCEPT AND DESIGN.
THE COLLECTION, ENTITLED "MELT",
EXPRESSES A FASCINATION FOR
THE ALL-CONSUMING POWER OF LOVE
BY MELTING CHOCOLATE, SOLDIERS
AND MONEY.
2007-2009

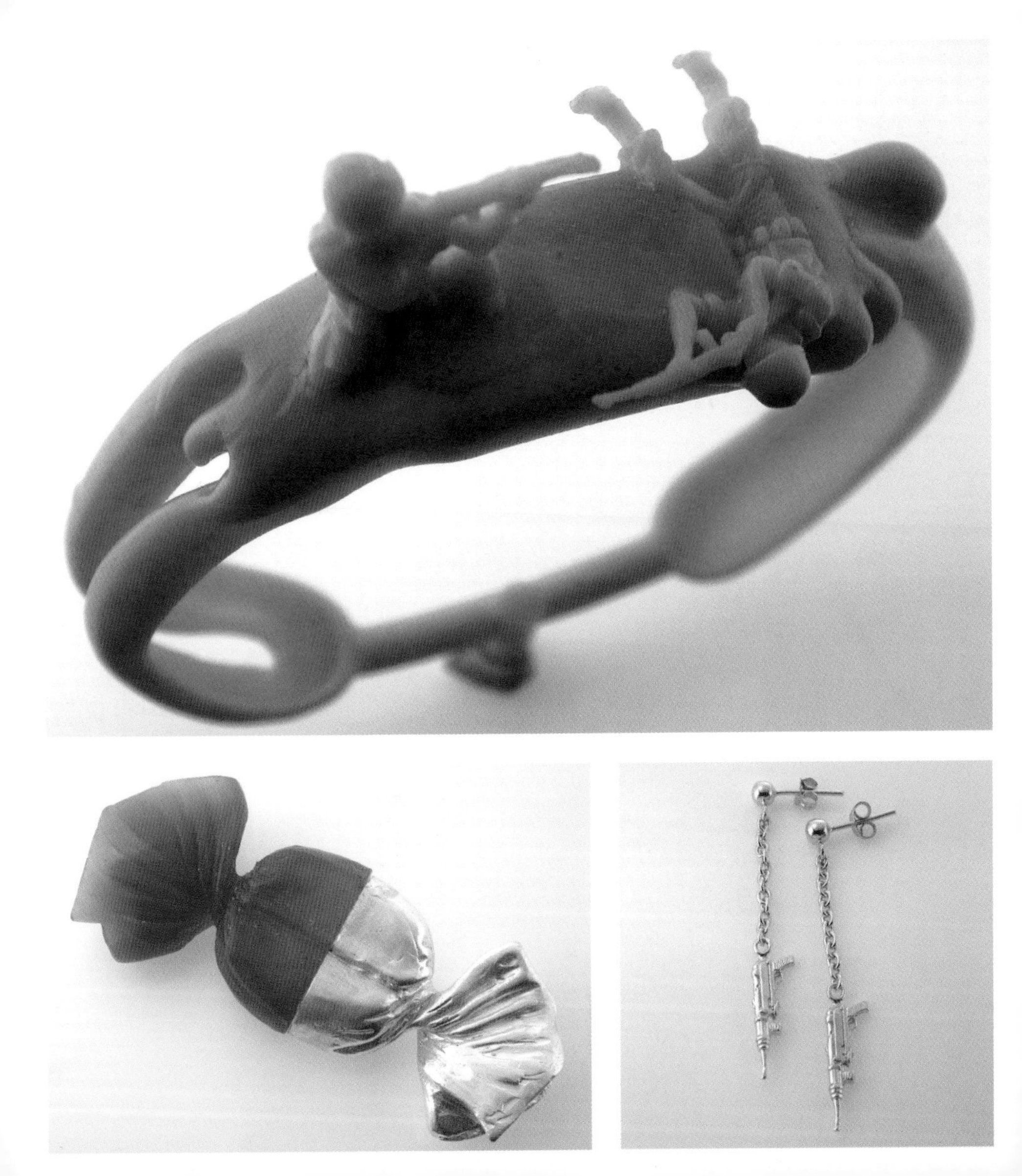

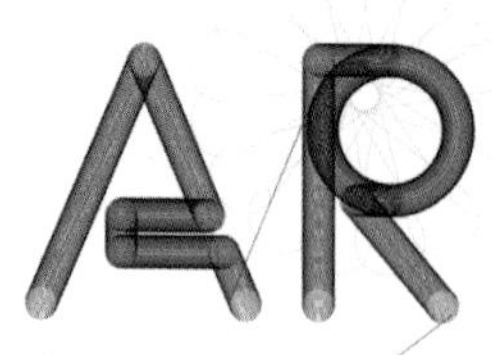

Augmented Reality
Superimposing the virtual
31 May - 21 June 2008

Augmented Reality
Superimposing the virtual
31 May - 21 June 2008

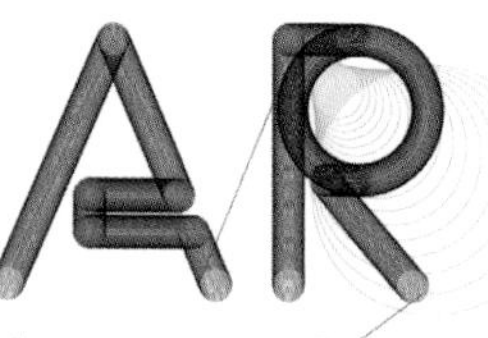

Augmented Reality
Superimposing the virtual
31 May - 21 June 2008

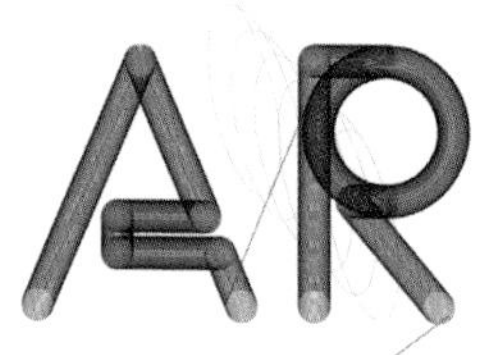

Augmented Reality
Superimposing the virtual
31 May - 21 June 2008

Augmented Reality
Superimposing the virtual
31 May - 21 June 2008

Augmented Reality
Superimposing the virtual
31 May - 21 June 2008

PAGES 24 À 31 :
AR: AUGMENTED REALITY
CONCEPTION DE L'IDENTITÉ VISUELLE DU FESTIVAL ET DESIGN PUBLICITAIRE. APPLICATION EN RÉALITÉ AUGMENTÉE DU SPIROGRAPHE POUR LA CRÉATION D'UNE TYPOGRAPHIE ET D'UN LANGAGE VISUEL.
2008

PAGES 24 TO 31:
AR: AUGMENTED REALITY
FESTIVAL IDENTITY CONCEPT AND PUBLICITY DESIGN.
AUGMENTED REALITY APPLICATION OF FAMOUS SPIROGRAPH TOY LEADS TO TYPE AND VISUAL LANGUAGE.
2008

Augmented Reality (AR)

AR AUGMENTED REALITY

Augmented Reality

[illegible]

Synopsis

[illegible]

Works on display

[illegible]

Augmented Reality combineert de 'echte' wereld met de virtuele.

[illegible]

Synopsis

[illegible]

Tentoongesteld werk

[illegible]

<>TAG

[illegible]

Mediamatic

[illegible]

CrossLab

[illegible]

Willem de Kooning Academy

[illegible]

Funded by

[illegible]

Many thanks to

[illegible]

Sponsors

[illegible]

Design

[illegible]

Contact

[illegible]

Route

[illegible]

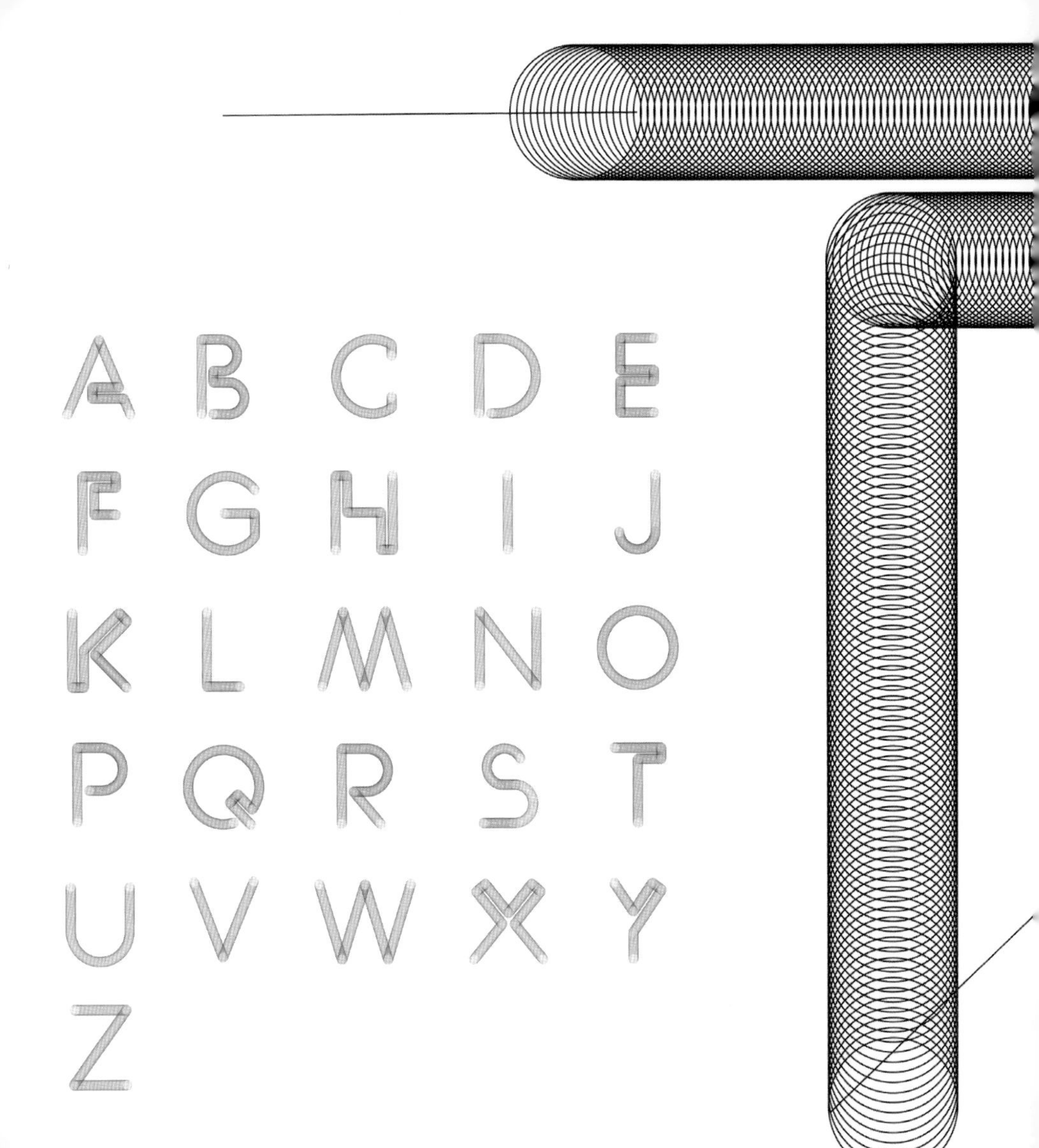
A B C D E
F G H I J
K L M N O
P Q R S T
U V W X Y
Z

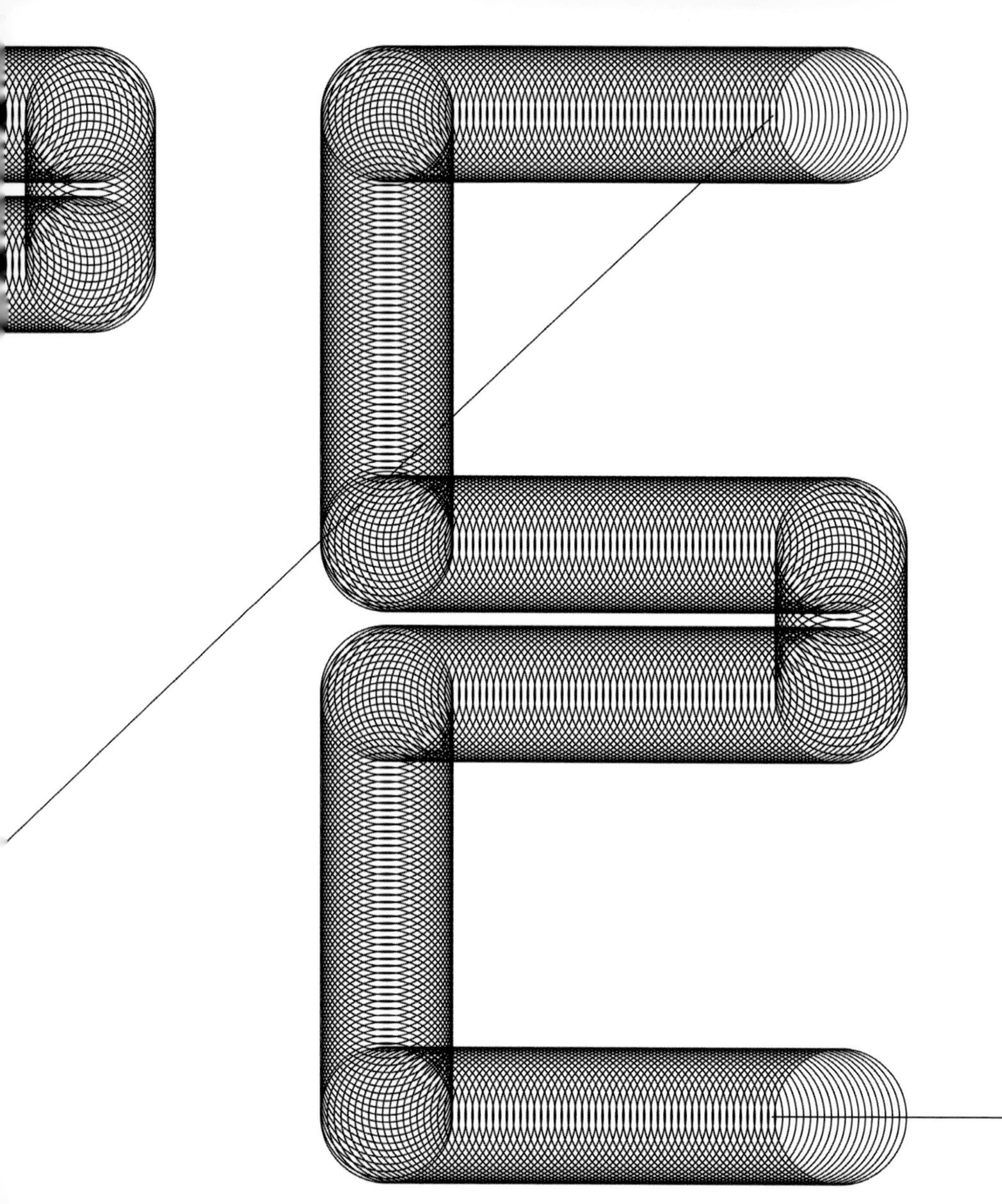

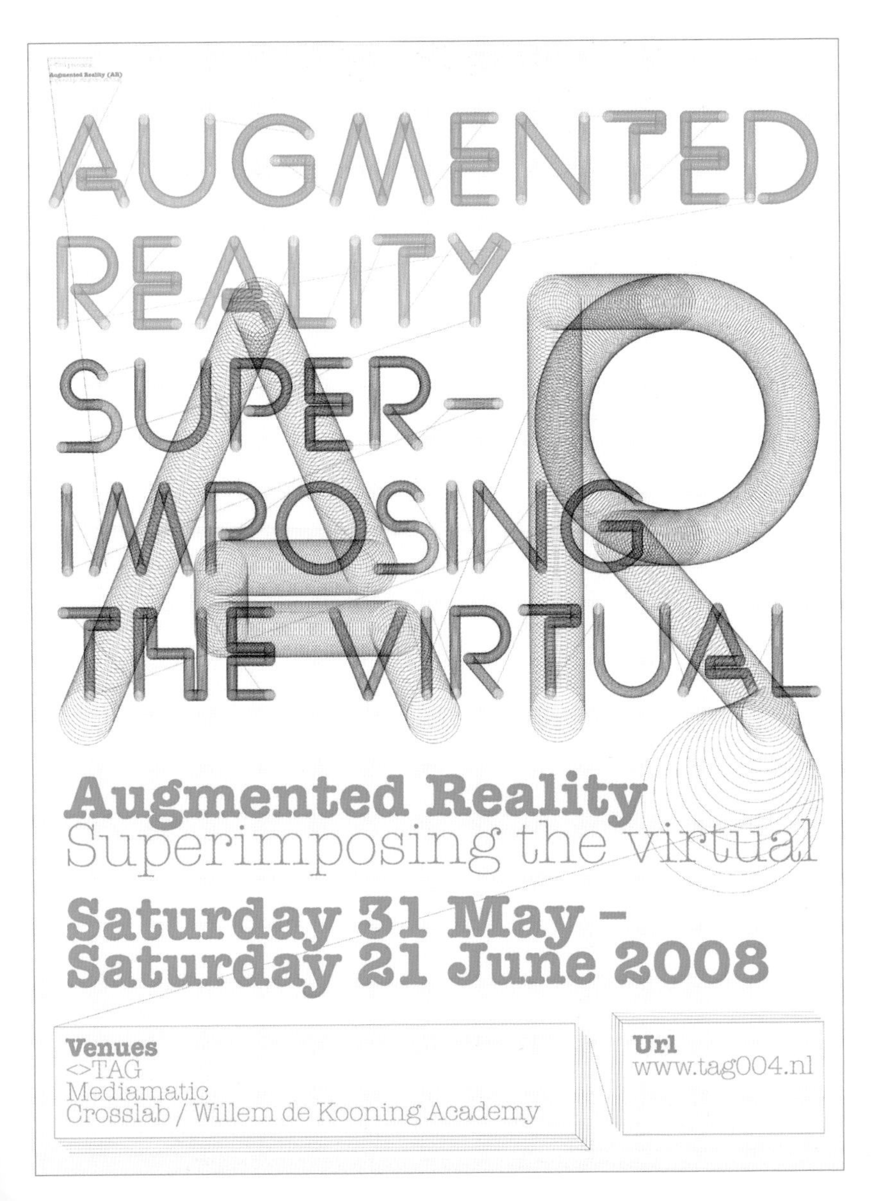
Augmented Reality (AR)
AUGMENTED
REALITY
SUPER-
IMPOSING
THE VIRTUAL
AR
Augmented Reality
Superimposing the virtual
Saturday 31 May -
Saturday 21 June 2008
Venues
<>TAG
Mediamatic
Crosslab / Willem de Kooning Academy
Url
www.tag004.nl

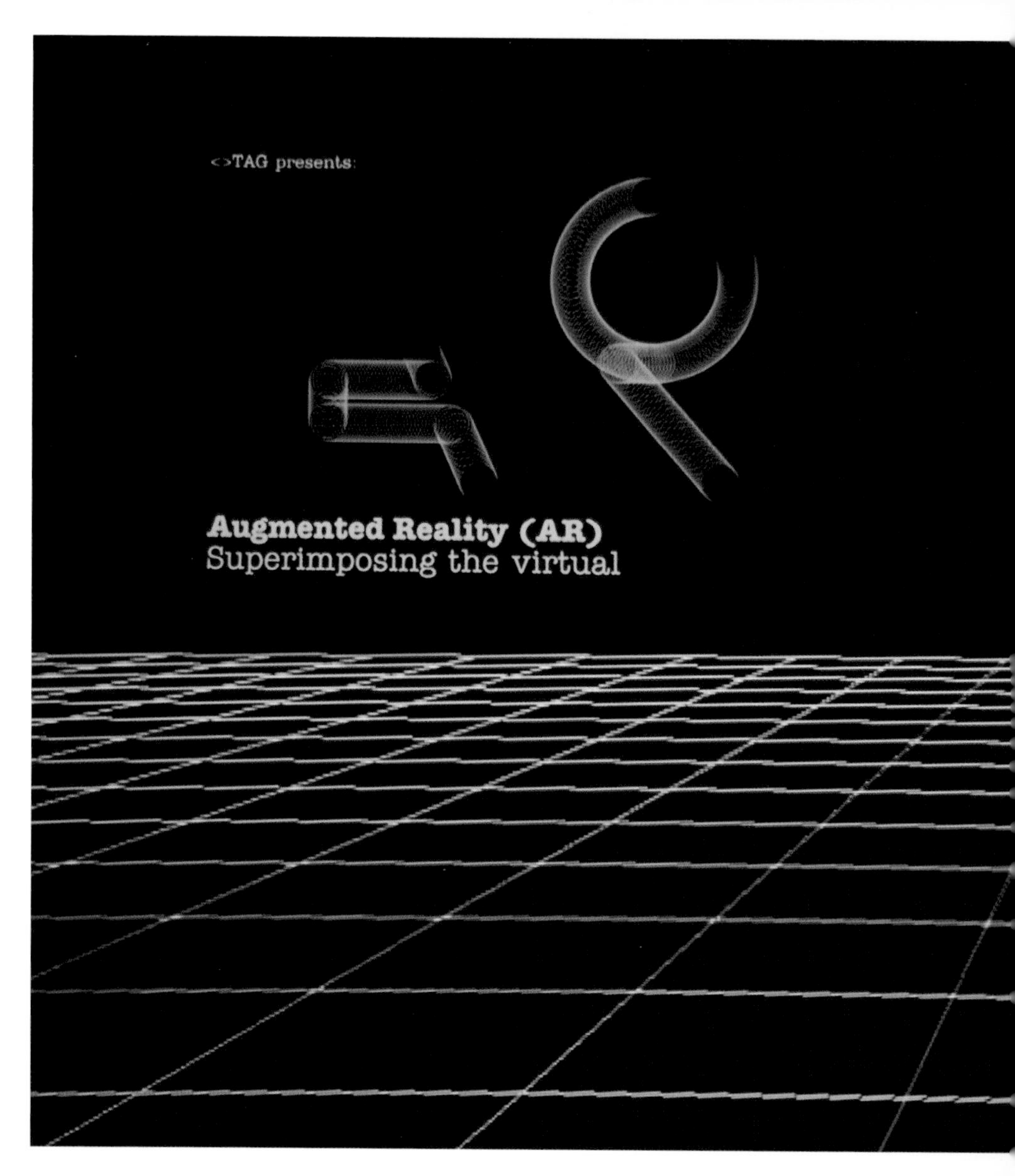
<>TAG presents:
Augmented Reality (AR)
Superimposing the virtual

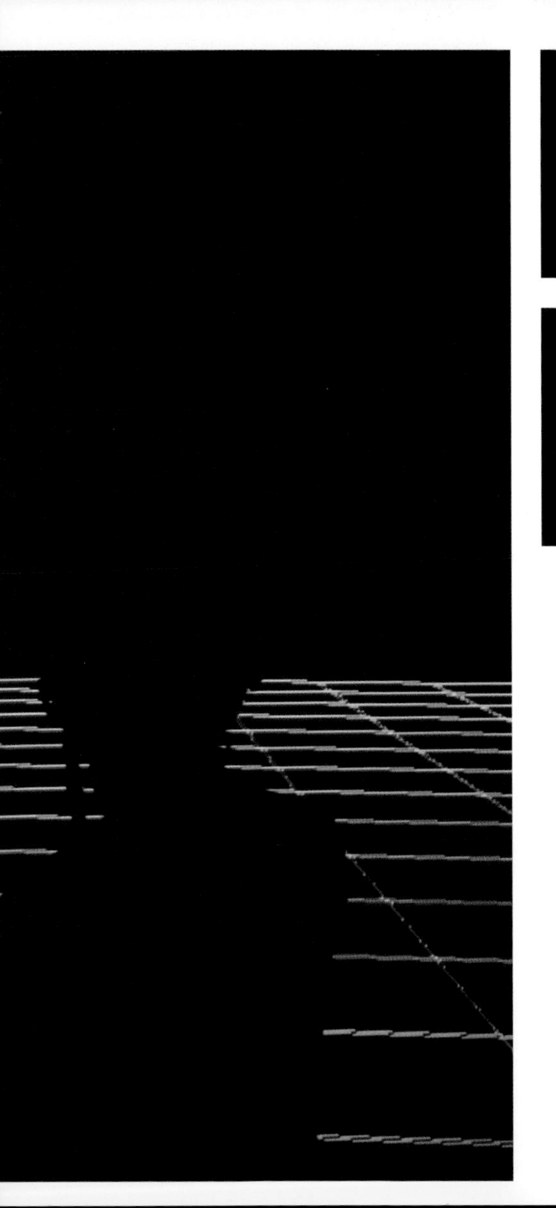

AUGMENTED REALITY

Augmented Reality (AR)
Superimposing the virtual

AUGMENTED REALITY

Augmented Reality (AR)
Superimposing the virtual

PAGES 32 À 37 :
CLI
CONCEPTION DE L'IDENTITÉ VISUELLE ET DESIGN PUBLICITAIRE D'UN INSTITUT DE FORMATION. DÉCLINAISON AUTOUR DE LA THÉMATIQUE DE LA CROISSANCE, EMPLOI DE POLICES ET DE CLICHÉS JOYEUX D'INSPIRATION « NATURE ». FAIRE-PART, POLICE « GROEI », SITE WEB, COUVERTURES DE PLAQUETTES D'INFORMATIONS ET POLICE « WORM » (PP. 36-37).
2005-2007

PAGES 32 TO 37:
CLI
CORPORATE IDENTITY CONCEPT AND PUBLICITY DESIGN FOR EDUCATIONAL INSTITUTE. PERSONAL GROWTH AS THEME, USE OF HAPPY CLICHÉS AND FONTS INSPIRED BY STEMS OF FLOWERS AND WIGGLY WORMS. BIRTH CARD, TYPE "GROEI," WEB SITE, COVERS OF NEWSLETTERS AND TYPE "WORM" (PP. 36-37).
2005-2007

abcdefghi
jklmnopqr
stuvwxyz

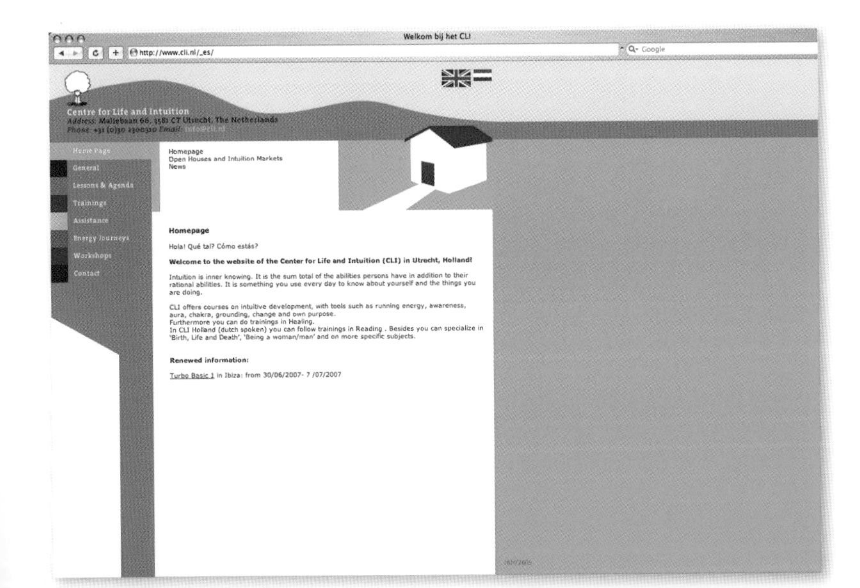

AGENDA

9 t/m 17 dec.	*Turbobasiscursus 1, Turbobasis 2, ...Turbo Leven en Dood*
2 jan.	*Start opleidingen*
6 jan.	*Open Huis Utrecht (10.30-13.30 & 14.00-17.00)*
8 jan.	*Start cursussen*
18 t/m 25 feb.	*Voorjaarsvakantie*
8 t/m 15 april	*Paasvakantie*
16 april	*Start voorjaarstrimester*
29 april t/m 6 mei	*Meivakantie*
27 april t/m 5 mei	*Engelandreis*
28 april t/m 13 mei	*Turkijereis*
9 juli t/m 19 aug.	*Zomervakantie*
7 juli	*Start Ierlandreis*
12 t/m 19 aug.	*Zinderende Zomerweek*
Circa 12 aug.	*Start Italiëreis*
20 aug.	*Start opleidingen*
3 sept.	*Start cursussen*

In deze agenda vind je een selectie van alle activiteiten. Wil je een actueel overzicht hebben van alle activiteiten? Kijk dan op www.cli.nl.

WINTER 2007

Het is winter! Warme chocolademelk, pepernoten en frisse winterwandelingen door de bossen. Of: lekker binnenzitten, met een goed boek, vakantiegidsen voor 2007 of – ook niet onaardig - deze nieuwsbrief! Vouw 'm uit en geniet van alle vakantieverhalen en cursuservaringen. Word je blij van een reis of cursus, meld je dan aan! Zo simpel is dat.

Centrum voor Leven en Intuïtie
www.cli.nl

AGENDA

REIZEN

Italië, spelen in de sneeuw	*februari 2008*
Cursus Overgave en Vertrouwen (in Engeland)	*april 2008*
Nepal en West-Tibet (Kailas)	*mei 2008*
Italiëreis	*juli 2008*
Ierlandreis voor mannen	*herfst 2008*

STUDIES

Reading Opleiding	*start groep 32: september 2007 start groep 33, april 2008 (intake februari/maart 2008)*
Graduate Opleiding	*januari 2008 (eerstvolgende instap)*
Geboorte-Leven-Dood-studies	*september 2007 (eerstvolgende instap)*
Vrouwenstudies	*januari 2009 (eerstvolgende instap)*
Mannenstudies	*januari 2010 (eerstvolgende instap)*

VAKANTIE EN START CURSUSSEN

Start opleidingen 3e periode	*20 augustus*
Start cursussen 3e periode	*3 september*
Herfstvakantie	*21 t/m 28 oktober*
Kerstvakantie cursussen	*9 december t/m 6 januari*
Kerstvakantie opleidingen	*16 december t/m 6 januari*
Start cursussen / opleidingen 1e periode 2008	*7 januari 2008*

In deze agenda vind je een selectie van alle activiteiten. Wil je een actueel overzicht hebben van alle activiteiten? Kijk dan op www.cli.nl.

ZOMER 2007

We willen meer buitenactiviteiten organiseren, staat er enthousiast in de 'Vooruitblik op agenda en reizen'. Letterlijk buiten, zoals de cursus Healing 3 in Eext. Yink vertelt erover. Over lekker buiten healen, zonder die IKEA-stoeltjes.

Daarnaast staat de nieuwsbrief vooral vol met het figuurlijke 'buiten het CLI': een energiecursus thuis toepassen op je kinderen (Willem), fietsen naar de Amsterdamse CLI-vestiging (Elly) en na vijftien jaar lesgeven afscheid nemen om al het geleerde in de buitenwereld toe te passen (Hilde).

Centrum voor Leven en Intuïtie
www.cli.nl

AGENDA

12-20 aug.	*Zinderende zomerweek*
	...met themadagen, turbocursussen en Engelandreis
21 aug.	Start opleidingen
23 aug.	Open lesavond Krayenhoffkazerne Nijmegen (19.00-21.30)
26 aug.	Open Huis Utrecht (10.30-13.30 & 14.00-17.00)
1 sept.	Open lesavond Westerweg 14, Alkmaar (19.00-21.30)
4 sept.	Start cursussen
11 okt.	Open Huisavond Utrecht (19.00-22.00)
22-29 okt.	Herfstvakantie
18 nov.	Open Huis/Intuïtiemarkt (10.30-13.30 & 14.00-17.00)
9-17 dec.	Turbobasiscursus 1
2 jan.	Start opleidingen
6 jan.	Open Huis (10.30-13.30 & 14.00-17.00)
8 jan.	Start cursussen

In deze agenda vind je een selectie van alle activiteiten. Wil je een actueel overzicht hebben van alle activiteiten? Kijk dan op www.cli.nl.

ZOMER 2006

Is iedereen net lekker terug van vakantie, verschijnt er een nieuwsbrief vol vakantienieuws!
We konden het niet laten. De CLI-reizen zijn te mooi en bijzonder om eraan voorbij te gaan. Dirk schrijft over zijn Ogen & Zien-reis naar Italië, Marleen blikt terug op haar ervaringen in Chartres en Robert geeft een sfeerimpressie van Engeland.

En verder? Een nieuwe geboortecursus, een andere locatie in Noord-Holland, resultaten van de enquête én weer een nieuwe docent.

Centrum voor Leven en Intuïtie
www.cli.nl

AGENDA

8 t/m 15 april	*Paasvakantie*
16 april	*Start voorjaarstrimester*
21 en 22 april	*Familieweekeinde*
21 t/m 29 april	*Turbocursus Basis 1 in Nijmegen (Berg en Dal)*
27 april t/m 5 mei	*Engelandreis*
28 april t/m 5 mei	*Turbocursus Healing 1 op Ibiza*
29 april t/m 6 mei	*Meivakantie*
20 mei	*Laat je horen! Wie ben je in je stem?*
23 mei	*Open Huisavond Utrecht*
31 mei t/m 3 juni	*Reis naar Chartres*
1 juni t/m 6 juli	*Cursus babymassage*
16 t/m 24 juni	*Turbocursus Basis 1 in Utrecht*
23 juni	*Intuïtiemarkt Utrecht*
7 juli t/m 16 juli	*Ierlandreis*
9 juli t/m 19 aug.	*Zomervakantie*
12 t/m 19 aug.	*Zinderende Zomerweek*
20 aug.	*Start opleidingen*
25 aug.	*Open Huis Utrecht*
31 aug.	*Open Huisavond Alkmaar*
25 aug. t/m 1 sept.	*Turbocursussen Basis 2 en Healing 2 op Ibiza*
3 sept.	*Start cursussen*

In deze agenda vind je een selectie van alle activiteiten. Wil je een actueel overzicht hebben van alle activiteiten? Kijk dan op www.cli.nl.

LENTE 2007

Lente! ***De vogels fluiten, de narcissen schieten de grond uit. Zin in nieuw! Daar doen we aan in deze nieuwsbrief: Barbara Gevaerts, hoogzwanger, vertelt over haar ervaring met zwangerschapsreadingen, en Hanke Bootsma presenteert zich als kersverse docent van het CLI.***

Ook is er aandacht voor oud. Voor oeroude kennis, waar het CLI zich via de energiereizen mee verbindt. En voor powerhouse-energie, waar volgens Evelien Bus niet mee valt te spotten.

Veel leesplezier!

Centrum voor Leven en Intuïtie
www.cli.nl

A B C D E F G

H I J K L M N

O P Q R S T U

V W X Y Z a b

c d e f g h i

j k l m n o p

q r s t u v w

x y z 0 1 2 3

4 5 6 7 8 9 ©

! @ # $ % ^ &

* ( ) _ - + =

[{] } ; : '

" \ | , < . >

? / ~ ` ± § ï

í î ø ¥ ì ë ü

é è ê â ô ö û

ú ü ù ä á à å

ó ò Ä Ë Ï Ü Ö

¡ £ ¢ § ¶ • ª

º – œ ® † " ß

ƒ © · ° ¬ … æ

« ç µ ÷ Œ „

‰ Â Ê Á

designerdesign / 074 / YOU & MCCUSKEY

NEW
SPRING
2008
PROGRAMME
OUT
NOW
CLI Centrum voor Leven en Intuïtie
NEW
AUTUMN
2007
PROGRAMME
OUT
NOW
CLI Centrum voor Leven en Intuïtie

moisturising shaving system
unique guide rings
super lift & cut system
moisturising shaving cartridges
unique quick clean system
integrated living light display
using the nivea hq170 lotion
Philishave
PHILIPS
cool skin

PHILIPS
sense and simplicity

PHILIPS
CONCEPTION, DIRECTION
ARTISTIQUE ET DESIGN DE
MATÉRIEL PROMOTIONNEL.
MISE EN VALEUR
DU MULTI-FONCTIONNALISME
DU NOUVEAU RASOIR PHILIPS
COOLSHAVE.
2006

PHILIPS
CONCEPT, ART DIRECTION
AND DESIGN FOR PHILIPS
ADVERTISEMENTS. STATING
THE MULTI-FUNCTIONALISM
OF THE NEW PHILIPS COOLSHAVE.
2006

PAGES 40 À 45 :
CONCRETE
CONCEPTION DE L'IDENTITÉ
VISUELLE, DESIGN PUBLICITAIRE,
RÉDACTION ET DIRECTION ARTISTIQUE
POUR CE MAGASIN DE MODE.

DÉCOUPAGES, COLLAGES ET
ILLUSTRATIONS AVEC DES PERSONNAGES
DE LA SÉRIE *BEVERLY HILLS* ET D'AUTRES
TOUT AUSSI PERDUS QUE LES SITUATIONS
DANS LESQUELLES ILS SE TROUVENT.
2004-2006

PAGES 40 TO 45:
CONCRETE
CORPORATE IDENTITY CONCEPT,
PUBLICITY DESIGN, COPYWRITING
AND ART DIRECTION FOR FASHION
STORE.

HAND-CUT, GLUED, TAPED
AND ILLUSTRATED WORK WITH
PERSONAL INTEREST IN *90210*
AND OTHER LOST PEOPLE
IN LOST SITUATIONS.
2004-2006

BRANDS
Nike (White Label)
Nike (Shoes)
Walter van Beirendonck
Sabotage
Diesel Stylelab
Dope
Buddhist Punk
Freitag
Homecore
Onistuka Tiger (Shoes)
Reebok (Shoes) waaronder Icecream van Pharell Williams!
Hoss
Lucy in the sky
Hyper Enzyme
Levi's Red
Ettienne Ozeki
DPMHI (Maharishi)
Marshall Artist
Griffin

Toys section:
Transformers (robots in disguise) van fabrikant Takara
Gundam kits
Kubrick
Mahatoys
Qee's

SCHOOLSTRAAT 26
2511 AX
DEN HAAG
tel. 0900-CONCRETE
fax. 070 3921218
ONCRETE

NAT
MR. WALSH
DONNA'S MOM
BRANDS
Toys section:
SCHOOLSTRAAT 26
2511 AX
DEN HAAG
tel. 0900-CONCRETE
fax. 070 3921218
CONCRETE
Spezi
ler
VROEGER HING
IK GORDYNEN
OP EN DAN
SPRONG IK ER
DOOR, IK VOELDE
ME ZO EEN
ECHTE POPSTAR
NU
2.95
KNIP!
DYLAN WACHT OP Z'N
DATE'
1700 UUR NOG GEEN
GLIMP VAN Z'N AFSP
RAAK
HAD HY ZICH NOU VERGIST?
1800 UUR
ZAL HY BLYVEN WACHTEN
OF WEGGAAN?
1830 UUR
HE STAYS COOL...

KOM JE OOK? SAMEN
LACHEN, SAMEN 'N DANSJE
WAGEN, OOIT HELEMAAL
SAMEN...?

all you eat is
CONCRETE
DAS IST HEIMAT
Schoolstraat 26
Den Haag
t.0900-CONCRETE
www.concrete.nl

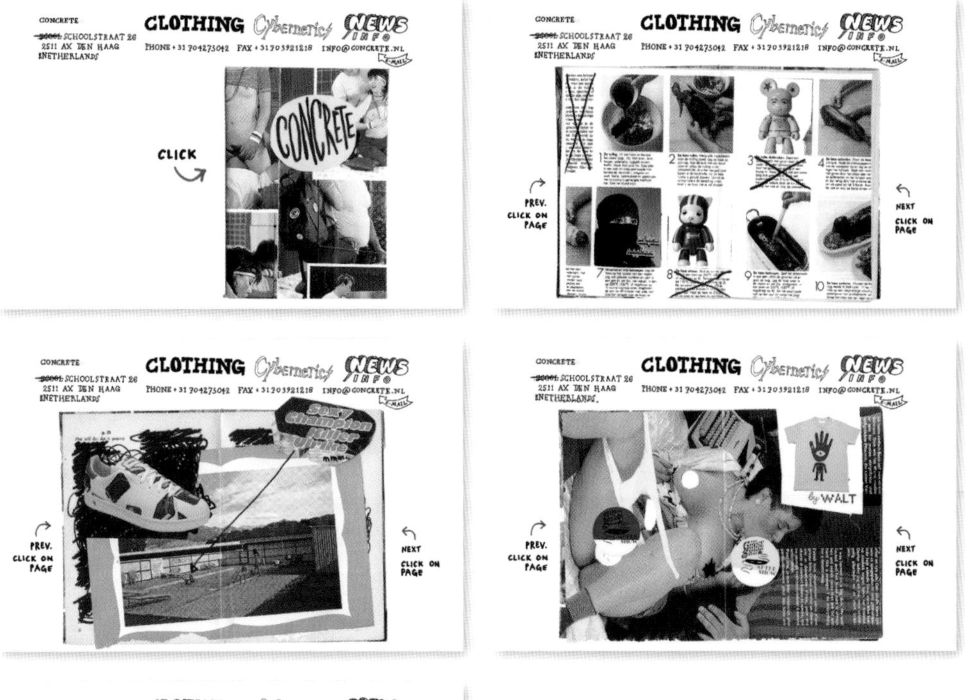
CONCRETE
SCHOOLSTRAAT 26
2511 AX DEN HAAG
NETHERLANDS
CLOTHING
Cybernetics
NEWS
INFO
PHONE + 31 704273042
FAX + 31 703921218
INFO@CONCRETE.NL
E-MAIL
CLICK
CONCRETE
PREV.
CLICK ON PAGE
NEXT
CLICK ON PAGE
Sexy champion Müller Ulrike
by WALT

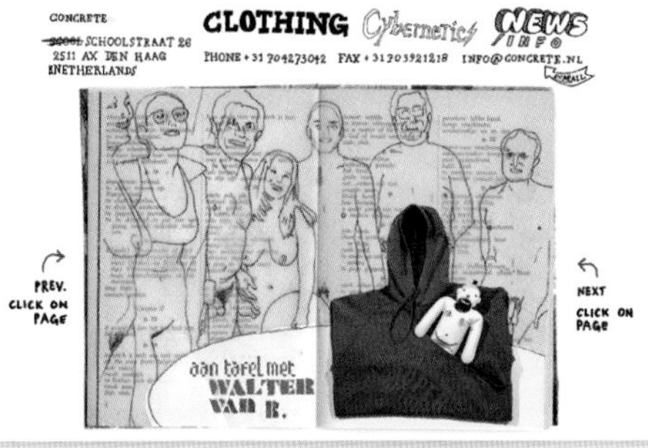
CONCRETE
SCHOOLSTRAAT 26
2511 AX DEN HAAG
NETHERLANDS
CLOTHING
Cybernetics
NEWS
INFO
PHONE + 31 704273042
FAX + 31 703921218
INFO@CONCRETE.NL
E-MAIL
PREV.
CLICK ON PAGE
NEXT
CLICK ON PAGE
aan tafel met
WALTER
VAN B.

PAGES 46 À 49 :
CONCRETE
ADHÉSIF, NOIR, BLANC, LIVRES
SCANNÉS ET SITE WEB
INSPIRÉ DE GOOGLE
ET DE FLICKR. PUBLICITÉ,
TRACTS PUBLICITAIRES,
BOUTIQUE ET TEE-SHIRTS.
2007

PAGE 46 TO 49:
CONCRETE
CORPORATE IDENTITY CONCEPT,
COPYWRITING AND PUBLICITY
DESIGN FOR FASHION CONCEPT
STORE. TAPE, BLACK, WHITE, SCANNED
BOOKS AND GOOGLE-FLICKR MASH-UP
WEB SITE. ADVERTISING, HANDOUTS,
SHOP AND T-SHIRTS.
2007

CON
CRE
TE
all you eat is concrete
CONCRETE.NL
CONCRETE CONCRETE
CONCRETE
E CONCRETE CONCRETE CONCRETE CON
CONCRETE that saves energy up to 50%, reduces insurance costs as much as 40%, provides your family a strong shelter against storms, stocks brands like Walter van Beirendonck, Michiko Koshino, Obey, Buddhist Punk, Sabotage, Homecore, Nike White Label, Hyper Engine, Levi's Vintage, Nike QS, MHI, Maharishi, Griffin, QWST, Greedy Genius, Razk, Addict, Boxfresh, PSP, Takara Transformers, Gundam kits, Kubrick, Mahatoys, Qee's, offers a barrier between the outside world and insures peace and quiet inside your home.
CONCRETE
CONCRETE Image Stores
Spuistraat 250, 1012 VW Amsterdam The Netherlands
Schoolstraat 26, 2511 AX The Hague The Netherlands
Website: www.concrete.nl, Phone: 0900-CONCRETE
CON

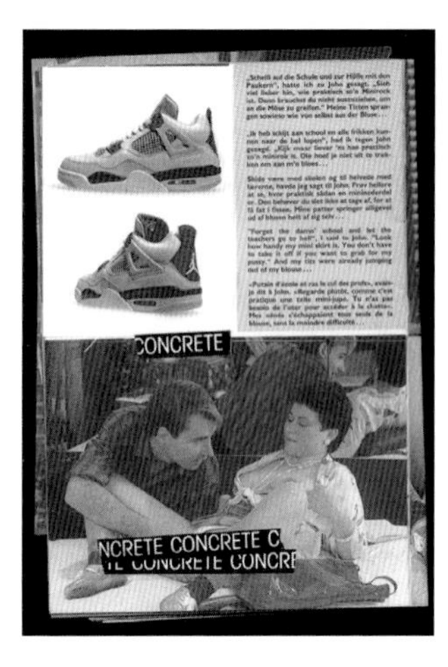
CONCRETE
NCRETE CONCRETE C
TE CONCRETE CONCRE

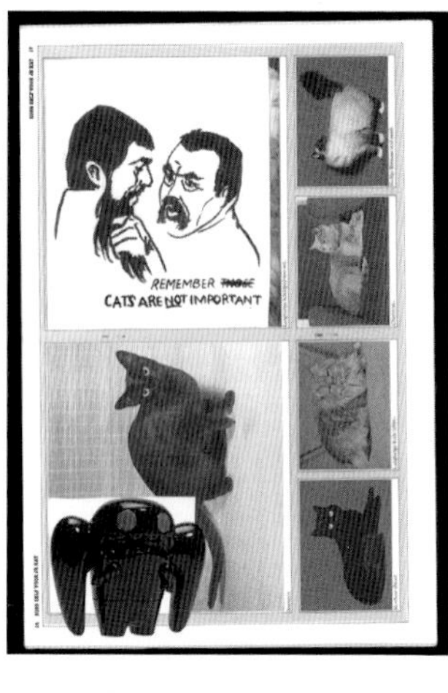
REMEMBER THOSE
CATS ARE NOT IMPORTANT

CONCRETE CONCRETE C

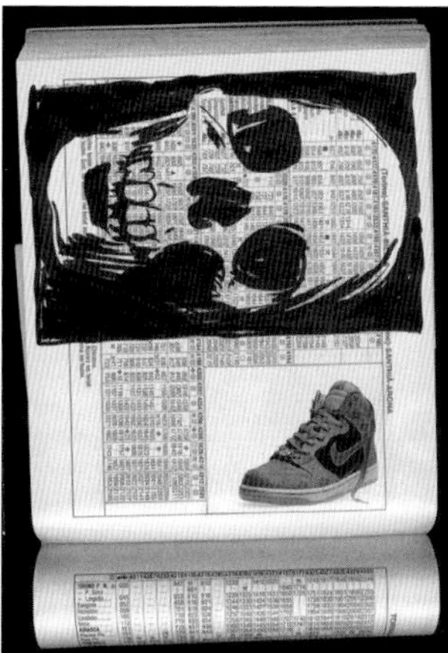

Cool!
CONCRETE
GRAND CENTRAL

"MISSY"
DON'T
FUCK
WITH
US
TE CONCRETE CON

SITE WEB DE CONCRETE.
WWW.CONCRETE.NL
2007

CONCRETE'S WEBSITE
WWW.CONCRETE.NL
2007

SPONSORS
CLOTHING
INFO
SHOP
ACCESSORIES
EXHIBITIONS
CONCRETE CONCRETE CONCRETE

ABCDEFGHIJKLM
NOPQRSTUVWXYZ
abcdefghijklm
nopqrstuvwxyz
0123456789
.,?/!@#\:;

ABCDEFGHIJKLM
NOPQRSTUVWXYZ
abcdefghijklmn
opqrstuvwxyz
0123456789
.,?/!\:;

ABCDEFG
HIJKLMN
OPQRSTU
VWXYZ
0123456789
:;?/!\:;

POLICES « TAPE N°1 », « TAPE N°2 », « TAPE N°3 », « TAPE N°4 » ET « TAPE N°5 ». 2007

TYPE "TAPE NO.1," "TAPE NO.2," "TAPE NO.3," "TAPE NO.4," "TAPE NO.5" 2007

ABCDEFGHIJKLM
NOPQRSTUVWXYZ
0123456789
.,?/!#\:;@

ALL YOU EAT
IS CONCRETE

STAMP YR. FEET
TO CONCRETE

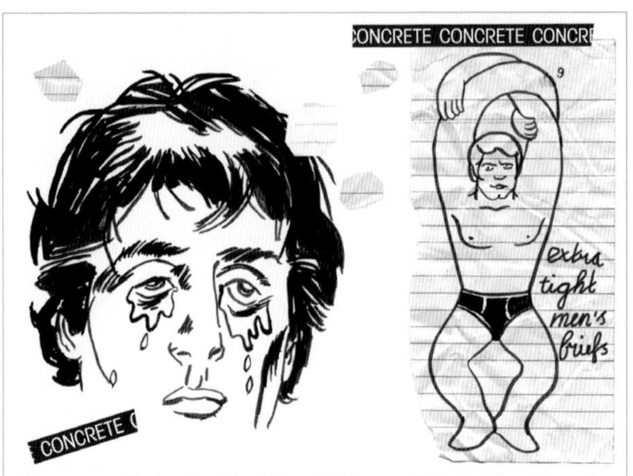

The warm sunrays filter down through the window, make their way past Freitag, touch the coat hangers like boughs, the sleeves like leaves that form a circus tent canopy over the concrete clearing. The early morning sunshine sings out with life resulting to a small tiptoe tinkling, quietly at first then louder. The crash of feet slightly muffled by it's supporting tissue, murmuring, shouting, hushed slowly only to rise up and repeat its chorus. The items behind the register join in the symphony, whistling in the craggy crevices of their presentation foam, rustling the sleeves like leaves laid out through out the fitting room, a liquid retaining structure intended to behave adequately in use with sufficient strength under load. And the staccato sound of the opening of cardboard boxes, price tags dripping from the leaves, from the boughs, dripping silently onto the concrete, onto the feet, seemingly kissing and caressing whatever it encounters. Climaxing at the counter. Suddenly the air is moving, news shoes are in the street, licking and caressing their way home from CONCRETE.

May 20th 2006 CONCRETE Image Store and <TAG>, platform for contemporary culture, will open here.

Alco see www.concrete.nl

CONCRETE SUPER SALE

SUPER SALE!

ONCRETE CONCRETENCRETE CONCRETE CONCRETE CONCRETE CONCRE

SUPER SALE DAGEN

Donderdag 10 juli, 16.00 tot 23.00 uur

Vrijdag 11 juli, 12.00 tot 22.00 uur

Zaterdag 12 juli, 12.00 tot 22.00 uur

SUPER SALE LOCATIE

Stille Veerkade 19 in Den Haag

SUPER SALE CONTACT

Tel. 070 4273042

Email info@concrete.nl

Url. www.concrete.nl

CONCRETE stocks brands such as Walter van Beirendonck, Nike, Maharishi, DC, Levi's, Ontour, Boxfresh, Addict, Greedy Genius, Insight, Fuct, Recon, QWST, Obey, Trainerspotter, Triumvir, 10Deep, Crooks & Castles, House Of Gods, Buddhist Punk, Fenchurch, Dope, Griffin, Kidrobot, Onitsuka Tiger, Minimum, ...

Visit us at one of our CONCRETE stores:

Spuistraat 250 in Amsterdam

Schoolstraat 26 in the Hague

or enjoy www.concrete.nl

FAMC, FrankAnne & McCuskey, a été créé par Rowan McCuskey et Martyn F. Overweel pour permettre l'expression d'une sensibilité à fleur de peau. Outre un volume impressionnant d'illustrations encore inédites, des expositions et des performances ont été organisées pour le lancement des différents numéros du magazine *FAMC*. Fil rouge de ces événements, la photographie d'Anne Frank, marraine du fanzine underground. Aux Pays-Bas, Anne Frank fait l'objet d'une vénération quasi-religieuse ; son souvenir est souvent évoqué lors de débats nationaux. Seul concept du magazine : la sensibilité de ses contributeurs et leur incompréhension face aux choses.

FAMC, FrankAnne & McCuskey, was formed by Rowan McCuskey and Martyn F. Overweel as a necessity to express an unbearable sensitivity rarely seen by grown men. Besides creating an enormous number of yet-to-be-published illustrations, McCuskey and Overweel held exhibitions and performances to launch new *FAMC* magazines. A main theme in these launch events was the image of Anne Frank, who is the godmother of the underground fanzine. In the Netherlands Anne Frank is revered as a saint and her image is used to proclaim national sorrow and political issues. *FAMC* does not have any agenda besides its own sensitivity and incomprehension of things.

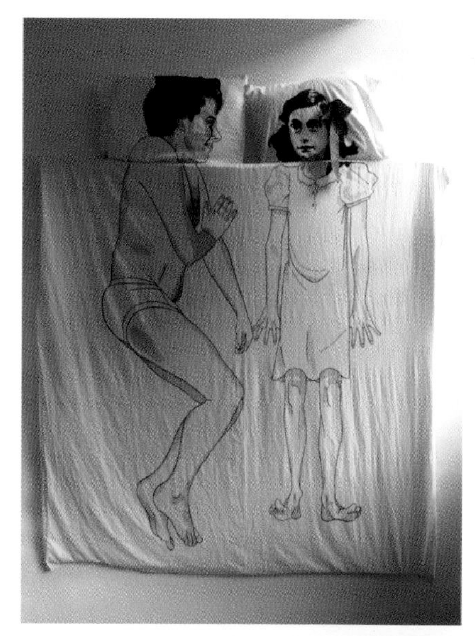

FAMC
INSTALLATIONS,
PERFORMANCES
ET EXPOSITIONS.
ÉLÉMENTS DES INSTALLATIONS
POUR LES NUMÉROS 2 ET 3
DE *FAMC*. PAGES SUIVANTES :
PAGES TIRÉES DE NUMÉROS
DE *FAMC*.
2004-2005

FAMC
ART INSTALLATIONS, PERFORMANCES
AND EXHIBITIONS. PARTS OF THE
INSTALLATIONS DISPLAYING *FAMC*#2
AND *FAMC*#3. NEXT PAGES: PAGES
OF *FAMC* PUBLICATIONS.
2004-2005

1% MEER
RAMONES
PARDON
YOU CAN
SURVIVE IT
GO HOME
sporen van NOTEN
NOOIT!
JA
SLAAP LEKKER.
TUTTI FRUTTI
zinloos geweld!
SCHAAM SCHAAM
ZAT

GR

o, hoeveel
mensen
OOOH!

E?

Beauty comes from the Hort,

HORT

EGENOLFFSTRASSE 29
60316 FRANKFURT
GERMANY

P +49 69 944 198 20
F +49 69 944 198 21

----

mailto:info@hort.org.uk
http://www.hort.org.uk
http://www.egh.org.uk

Eat your Hort out,

HORT

EGENOLFFSTRASSE 29
60316 FRANKFURT
GERMANY

P +49 69 944 198 20
F +49 69 944 198 21

----

mailto:info@hort.org.
http://www.hort.org.u
http://www.egh.org.uk

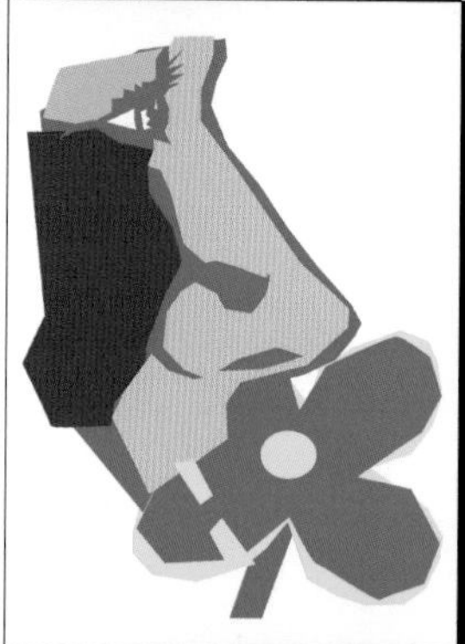

Hort and Soul,

HORT

EGENOLFFSTRASSE 29
60316 FRANKFURT
GERMANY

P +49 69 944 198 20
F +49 69 944 198 21

----

mailto:info@hort.org.uk
http://www.hort.org.uk
http://www.egh.org.uk

One Hort,

HORT

EGENOLFFSTRASSE 29
60316 FRANKFURT
GERMANY

P +49 69 944 198 20
F +49 69 944 198 21

----

mailto:info@hort.org.uk
http://www.hort.org.uk
http://www.egh.org.uk

Wild at Hort,

HORT

EGENOLFFSTRASSE 29
60316 FRANKFURT
GERMANY

P +49 69 944 198 20
F +49 69 944 198 21

---

mailto:info@hort.org.uk
http://www.hort.org.uk
http://www.egh.org.uk

---

ort's desire,

FFSTRASSE 29
FRANKFURT
Y

---

9 944 198 20
9 944 198 21

:info@hort.org.uk
/www.hort.org.uk
/www.egh.org.uk

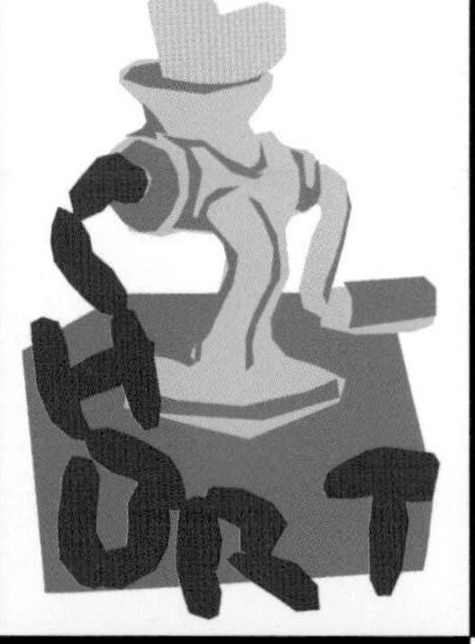

From Hort to heart,

HORT

EGENOLFFSTRASSE 29
60316 FRANKFURT
GERMANY

P +49 69 944 198 20
F +49 69 944 198 21

---

mailto:info@hort.org.uk
http://www.hort.org.uk
http://www.egh.org.uk

HORT

From the bottom of your
Hort,

HORT

EGENOLFFSTRASSE 29
60316 FRANKFURT
GERMANY

P +49 69 944 198 20
F +49 69 944 198 21

---

mailto:info@hort.org.uk
http://www.hort.org.uk
http://www.egh.org.uk

PAGES 60 À 63 :
HORT (EIKESGRAFISCHERHORT)
DESIGN ET RÉDACTION
D'UNE CAMPAGNE PUBLICITAIRE
TRACTS, SLOGANS, AUTOCOLLANTS,
CARTES ET AFFICHES
2005

PAGES 60 TO 63:
HORT (EIKESGRAFISCHERHORT)
DESIGN AND COPYWRITING
FOR PUBLICITY CAMPAIGN
HAND-CUT PAPER, SLOGANS,
STICKERS, CARDS AND POSTERS
2005

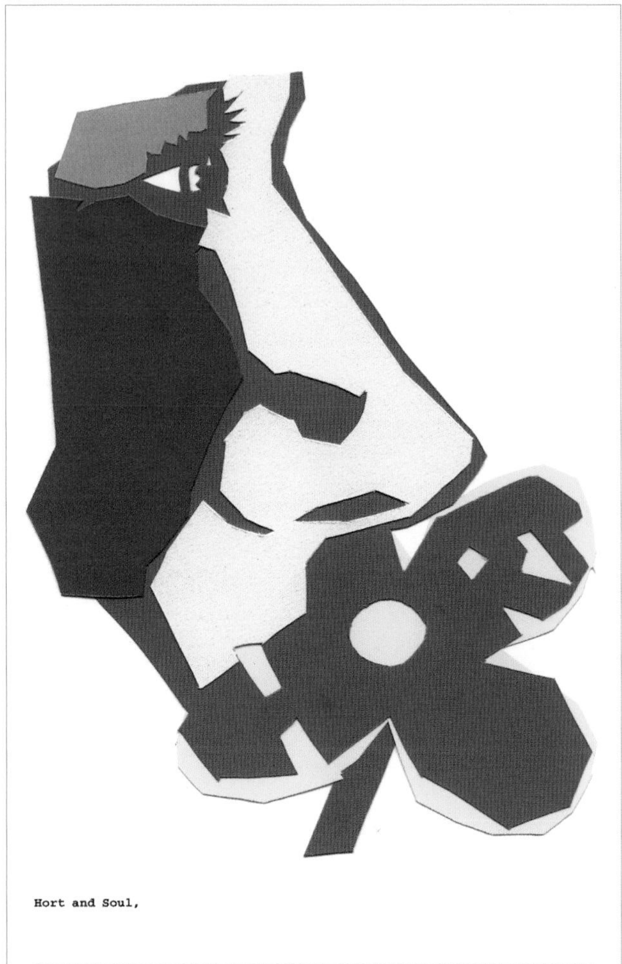

Hort and Soul,

HORT

Address: EGENOLFFSTRASSE 29 -- 60316 FRANKFURT -- GERMANY

Phone: +49 69 944 198 20 -- Fax: +49 69 944 198 21

Email: info@hort.org.uk -- Url: www.hort.org.uk -- Url: www.egh.org.uk

---

One Hort,

HORT

Address: EGENOLFFSTRASSE 29 -- 60316 FRANKFURT -- GERMANY

Phone: +49 69 944 198 20 -- Fax: +49 69 944 198 21

Email: info@hort.org.uk -- Url: www.hort.org.uk -- Url: www.egh.org.uk

Your Hort's Desire,

HORT

Address: EGENOLFFSTRASSE 29 -- 60316 FRANKFURT -- GERMANY

Phone: +49 69 944 198 20 -- Fax: +49 69 944 198 21

Email: info@hort.org.uk -- Url: www.hort.org.uk -- Url: www.egh.org.uk

L'esthétique des énoncés statistiques induit une police de caractères et des formes identitaires. L'obtention, l'application et la régulation des informations constituant le fondement des structures sociales et politiques, il ne peut exister d'information objective. Cette thèse s'exprime au moyen de statistiques d'entreprise associées à des formes identitaires fascistes colorées dans un vert joyeux destiné à divertir les gens tandis que des informations leurs sont transmises.

The aesthetics of statistical statements lead to a font and identity forms. As obtaining, applying and regulating information is the foundation of social political structures, there is no such thing as objective information. To express this corporate statistics were mixed with fascist identity forms and colored in a happy green to entertain people while feeding them information.

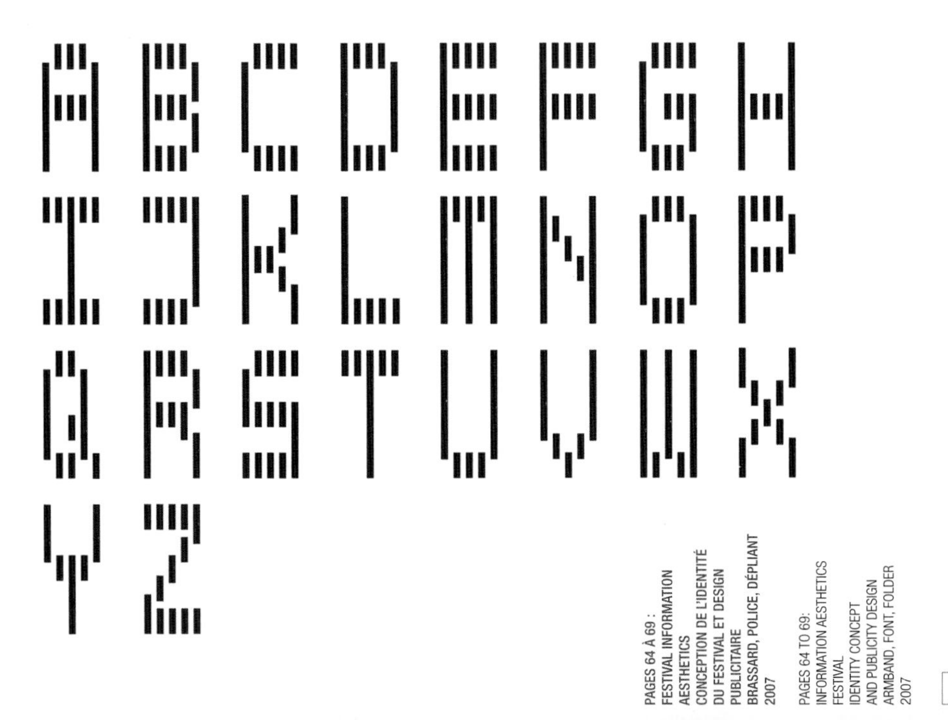

PAGES 64 À 69 :
FESTIVAL INFORMATION
AESTHETICS
CONCEPTION DE L'IDENTITÉ
DU FESTIVAL ET DESIGN
PUBLICITAIRE
BRASSARD, POLICE, DÉPLIANT
2007

PAGES 64 TO 69:
INFORMATION AESTHETICS
FESTIVAL
IDENTITY CONCEPT
AND PUBLICITY DESIGN
ARMBAND, FONT, FOLDER
2007

INFORMATION
AESTHETICS

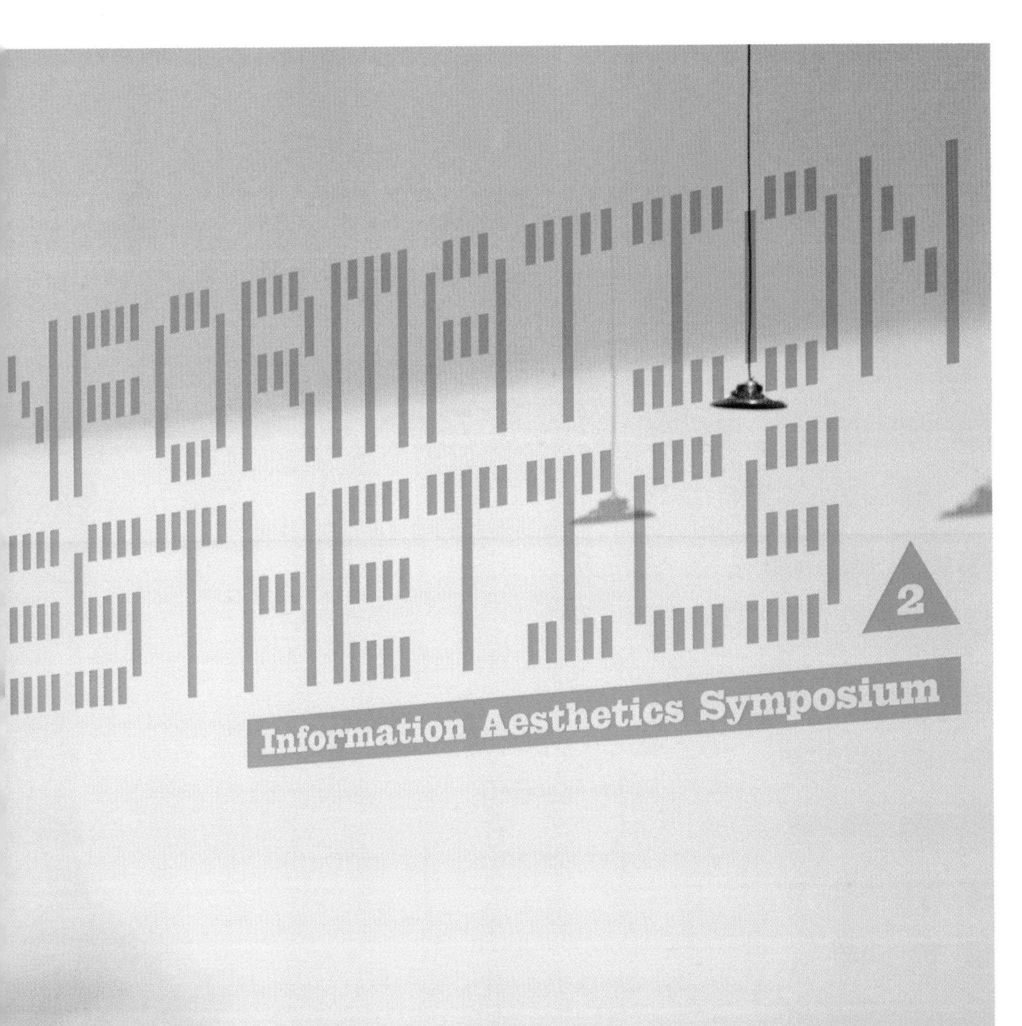
2
Information Aesthetics Symposium

EXHIBITION C.E.B. REAS AND INFORMATION AESTHETICS SYMPOSIUM 2

ABOUT THE ARTISTS

VENUES AND COLLABORATIONS

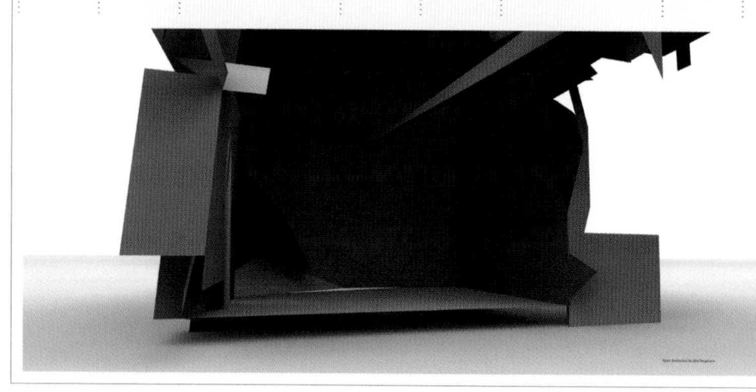

INFORMATION AESTHETICS

19/09 - 03/11 2007

<>TAG
TodaysArt Festival
Concrete Image Store
Mediamatic
Stroom Den Haag

www.tag004.nl

<>TAG presents

EXHIBITION 1 OF 1

One of One is an independent design studio that synthesizes fashion and art into one-of-a-kind apparel made to order in Los Angeles. Each signed and numbered piece results from a collaboration between a commissioned artist and fashion designer Cait Reas. The Tissue collection was created with the artist C.E.B. Reas.

-

Cait Reas is an fashion designer who lives and works in Los Angeles. Her work focuses on merging fashion and art. Cait has designed for studios in New York, Milan and Los Angeles before launching her own company, One of One in 2007.

Opening: 18 September, 17:00-22:00
Running: 18 September 2007- 3 November 2007
Location: Concrete Image Store, Spuistraat 250, Amsterdam
Urls: www.1of1studio.com, www.concrete.nl, www.tag004.nl

-

Funded by: Fonds 1818, VSB Fonds, Mondriaan Stichting, Stroom Den Haag, The Generator, Gemeente Den Haag dienst OCW

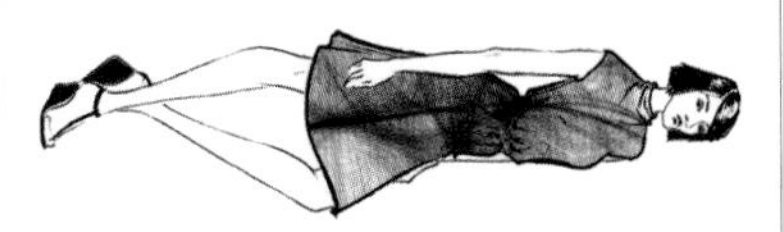

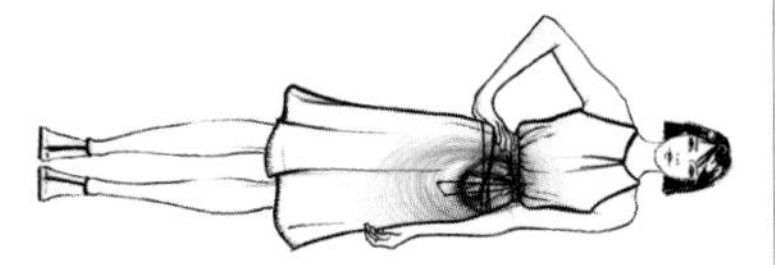

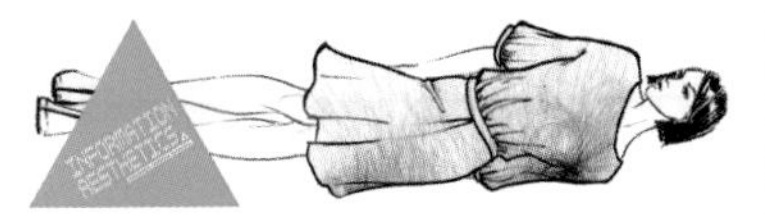

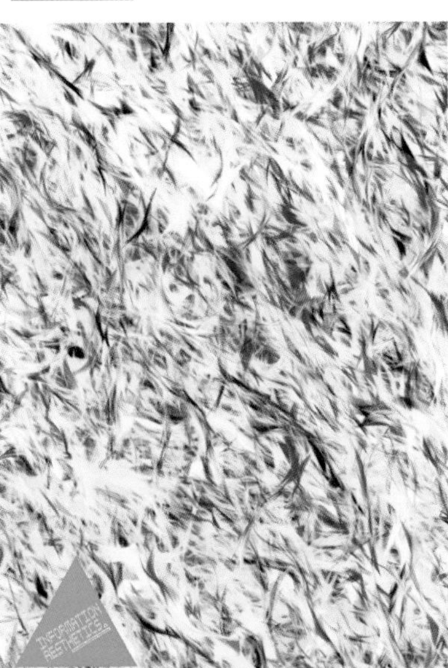

<>TAG presents

EXHIBITION C.E.B. REAS

THE PROTEAN IMAGE

-

The Protean Image plays with the mutable nature of software. As an artist creating images with code, I make hundreds of aesthetic decisions while translating my ideas into precise commands for a computer to execute.

-

Visitors change the software by filling out programming cards. These cards are inserted into The Protean Image Machine. The Machine reads the cards and makes alterations to the software as it's projected onto the wall. The emphasis of this action is on the relationship between the visitors choices and the resulting changes to the software.

Opening: 19 September 2007, 17:00-22:00
Running: 19 September - 3 November 2007
Location: <>TAG, Stille Veerkade 19, Den Haag
Urls: www.prosessing.org, www.reas.com, www.tag004.nl

-

Funded by: Fonds 1818, VSB Fonds, Mondriaan Stichting, Stroom Den Haag, The Generator, Gemeente Den Haag dienst OCW

Brombeeren Festival

PAGES 70 À 73 :
FESTIVAL BROMBEEREN
CONCEPTION DE L'IDENTITÉ
VISUELLE DU FESTIVAL
ET DESIGN PUBLICITAIRE.
L'IDENTITÉ, LA POLICE
ET LE LANGAGE VISUEL
S'INSPIRENT DE LA MÛRE,
SES BAIES ET SES FEUILLES.
LOGO, ANIMATION, DÉPLIANT,
BROCHURE ET POLICE « BROM ».
2006

PAGES 70 TO 73:
BROMBEEREN FESTIVAL
FESTIVAL IDENTITY CONCEPT
AND PUBLICITY DESIGN.
ENTIRE VISUAL IDENTITY, FONT
AND VISUAL LANGUAGE ARE
BASED UPON BLACKBERRY
LEAVES AND THORN STRUCTURES.
LOGO, ANIMATION, FLAG,
BOOKLET AND TYPE "BROM."
2006

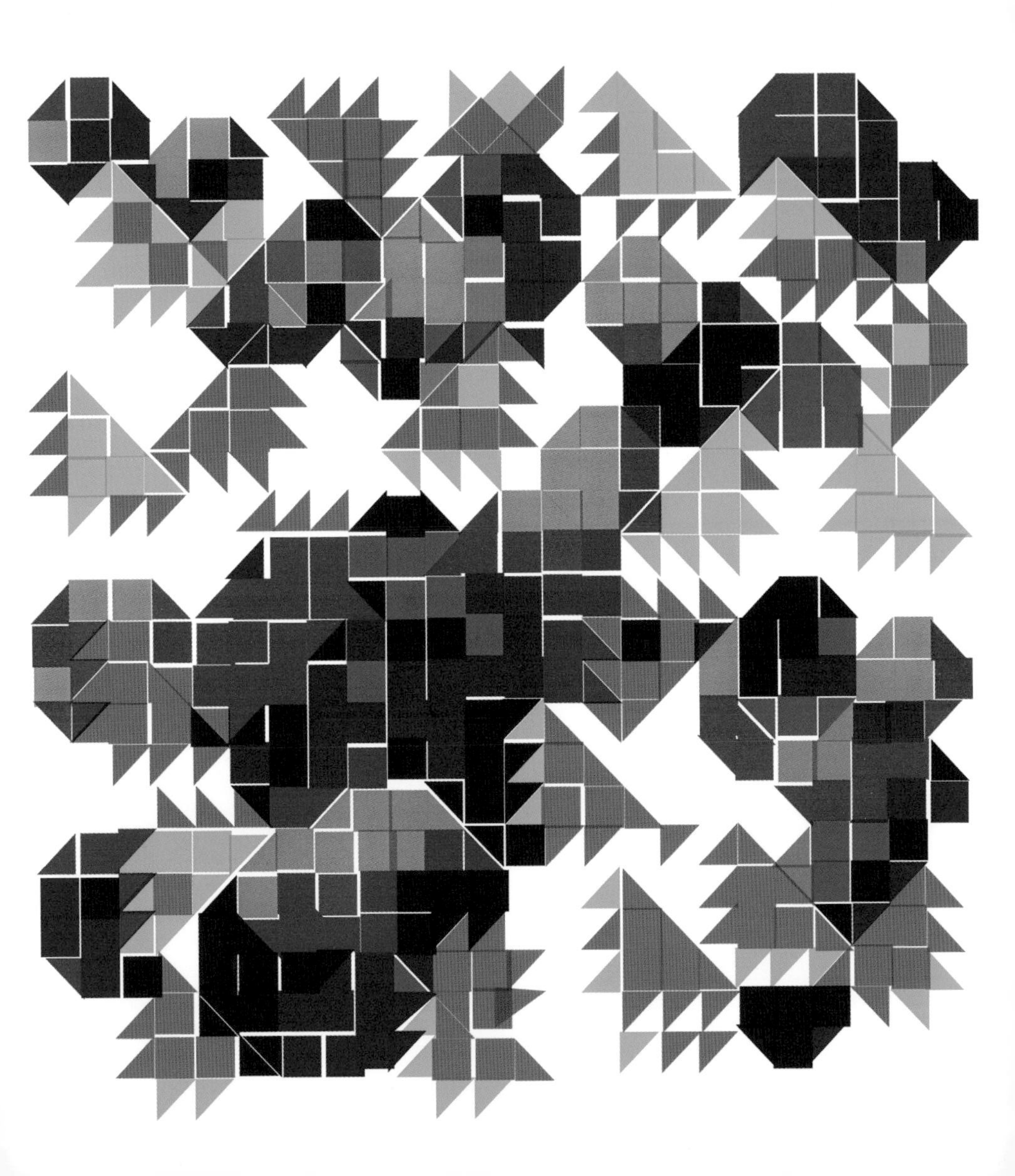

zomer brengt ons
voorgaande jaren
vloed aan kramen.

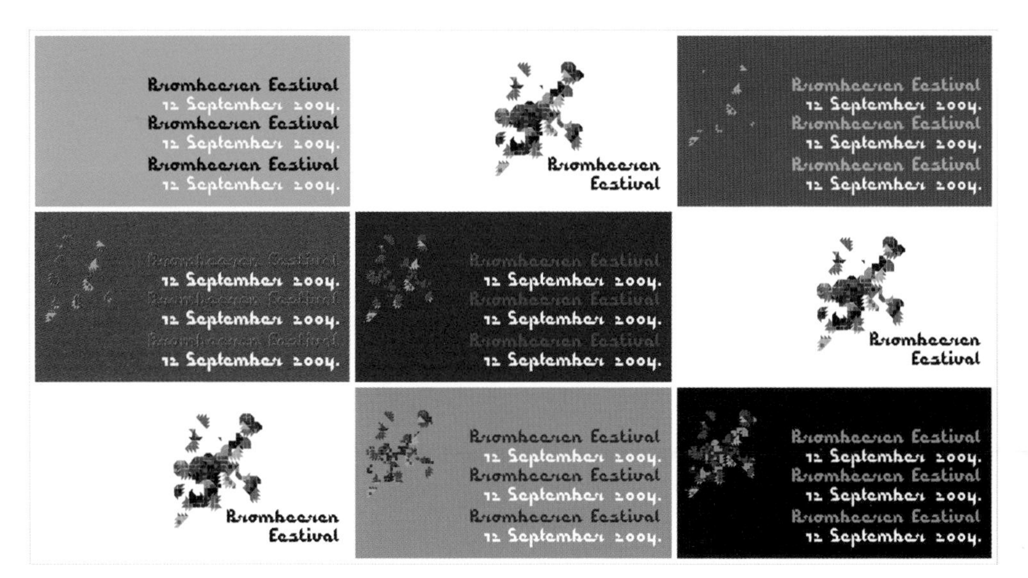

ABCDEFGHIJKLM

NOPQRSTUVWXYZ

abcdefghijklmn

opqrstuvwxyz

0123456789

.,;:!?(){}=+-→±<>@_

Conception de l'identité visuelle et design publicitaire pour une compagnie de danse. Un logo bien pensé ne suffit pas à créer une identité visuelle que le client et le public s'empressent d'adopter. Il est nécessaire de partager une certaine expérience avec la marque. La nouvelle identité de Dancing Matters vise à associer le langage émotionnel du corps au langage rationnel du design graphique, que les danseurs peuvent s'approprier et utiliser dans leur pratique. En offrant aux gens l'opportunité de danser avec le média lui-même, il a été possible d'atteindre une nouvelle compréhension de l'objet. La police « Dans » a été utilisée dans plusieurs chorégraphies ainsi que sur les supports promotionnels. Elle a donné lieu au développement d'un jeu informatique destiné à la création de textes et de chorégraphies, afin de permettre aux utilisateurs de communiquer simultanément à deux niveaux. La police « Krom » a ensuite été créée pour associer de façon plus intime danse et design graphique et intéresser les danseurs au monde bidimensionnel du graphisme, mais aussi les graphistes à la chorégraphie. « Krom » a été utilisée pour les accessoires lors des spectacles et dans les imprimés, ainsi que dans un court-métrage où, peu à peu, les caractères se détachent du support et se mettent à danser.

Corporate identity concept and publicity design for dance company. Dance, dance, everywhere and with everything. It takes more than an intelligent logo to create a brand identity that both the client and the public are willing and able to embrace. A experience of and co-existence with the brand concept is necessary to achieve this. The purpose of the new Dancing Matters identity was to link the emotional body language with the rational graphic language, to create graphic design the dancers could relate to and use as a tool in their own practice. By giving people the opportunity to dance with the communication media itself, a new comprehension of the object was created. The font Dans was used in several dance choreography pieces as well as in publicity print work. Also, it was turned into a simple computer game for people to create texts and choreography, to communicate simultaneously at two levels. After the "Dans" font, the "Krom" font was created to take dance deeper into graphic design. This way the two-dimensional world of graphic design could become of interest for dancers. It was also a way to interest the graphic geek in dance choreography. "Krom" was used as stage prop pieces as well as in publicity print work. It was also used in a short movie in which the letters gradually curl up from the paper and seemingly start to dance.

DANCING MATTERS
BROCHURE DU PROGRAMME
EXPLIQUANT COMMENT
DANSER AVEC LA BROCHURE
2003

DANCING MATTERS
PROGRAMME BOOKLET
WITH INSTRUCTIONS
FOR HOW TO DANCE
WITH BOOKLET
2003

A B C D E

F G H I J

K L M N O

P Q R S T

U V W X Y

Z

a b c d e

f g h i j

k l m n o

p q r s t

u v w x y

z

1 2 3 4 5

6 7 8 9 0

. , + & ?

( ) ~ < >

{ } * @ §

$

POLICE « KROM »
PAGE DE DROITE : APPLICATION
INFORMATIQUE DE SIMULATION
DE DANSE ET POLICE « DANS »
2003

ABOVE: TYPE "KROM"
RIGHT PAGE: DANCE STIMULATOR
COMPUTER APPLICATION,
AND TYPE "DANS"
2003

DanceStimulator 1.0
Please type and dance any character combination

STICHTING DANCING MATTERS

AFFICHE « PREHIBIRDS & LAPTOPS » EXPLIQUANT COMMENT FAIRE DANSER CELLE-CI ET AFFICHE « A-MUZING ZEUS »
2003

"PREHIBIRDS & LAPTOPS" POSTER WITH INSTRUCTIONS FOR HOW TO DANCE WITH IT, AND "A-MUZING ZEUS" POSTER
2003

Ich möchte ein Eisbä
im kalten Polar,
dann müßte ich
mehr schrei'
alles wär so kl
HMM.. MEAN LITTLE MINTS
PEPPERMINT
sugar free
FRISK
REFRESHING POWER MINTS

FRISK
CONCEPTION, DIRECTION
ARTISTIQUE ET DESIGN
PUBLICITAIRE POUR FRISK
2006

FRISK
CONCEPT, ART DIRECTION
AND DESIGN FOR FRISK
ADVERTISEMENT
2006

M
Mighty McCuskeys Softball

MIGHTY MCCUSKEYS
VISUAL IDENTITY CONCEPT
AND DESIGN FOR SOFTBALL
TEAM. OUTFITS, MAIN LOGO,
BUTTONS AND E-MAILING
2006

MIGHTY MCCUSKEYS
CONCEPTION ET DESIGN
DE L'IDENTITÉ VISUELLE
D'UNE ÉQUIPE DE SOFTBALL.
TENUES DE SPORT, LOGO,
BADGES ET MAILING
2006

OP EEN AANVANKELIJK WONDER-
SCHONE OCHTEND IN NOVEMBER GA
IK OP ZOEK NAAR DE BROEDPLAATS
WAAR ONDERMEER MAARTEN BAAS
WERKT. BEKEND MET DE SMOKE
CHAIR HEB IK ENKELE STOK-
JES BIJ ME EN BEGIN IK ENTHOUSI-
AST DE OMGEVING TE DOCUMEN
TEREN
OOK DIT LEZEN
DE
SERVICE
GARAGE
EN
HORSE
MOVE
PROJECT
SPACE
TEKST
EN
FOT
LIEFS
ROWAN

Schiedam
BRADERIE
KETEL1

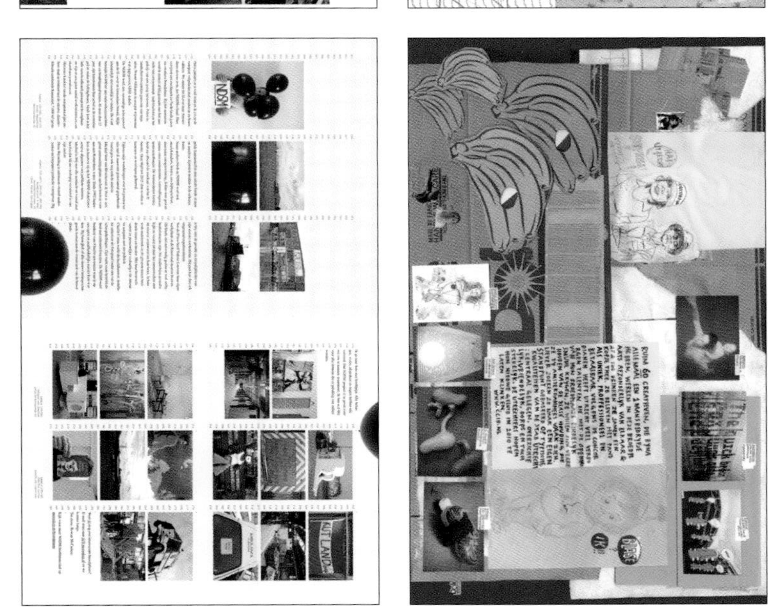

PAGES 84 À 91 :
ARTICLES PARUS DANS *ITEMS*
RÉDACTION, PHOTOGRAPHIE,
DA ET DESIGN POUR LE MAGAZINE
ET LE SITE WEB. LE LIVRE *THE RISE OF THE CREATIVE CLASS* DE RICHARD
FLORIDA A PLONGÉ LES VILLES
DES PAYS-BAS DANS UNE
EFFERVESCENCE CRÉATIVE.

ITEMS CONSACRE UNE RUBRIQUE
BIMESTRIELLE À CES HAUTS-LIEUX
DE LA CRÉATIVITÉ, PRÉSENTÉS
EN TEXTE ET EN IMAGE SELON
UN ANGLE PERSONNEL.
PAGES 90-91 : CAPTURES D'ÉCRAN
DES ARTICLES PARUS
SUR LE SITE WEB.
2007-2008

PAGES 84 TO 91:
ITEMS MAGAZINE ARTICLES
WRITING, PHOTOGRAPHY, ART DIRECTION
AND DESIGN FOR MAGAZINE AND WEB SITE.
RICHARD FLORIDA'S *THE RISE OF THE CREATIVE CLASS* HAS MADE
DUTCH CITIES CREATIVE-CRAZY.

IN A BI-MONTHLY ARTICLE IN *ITEMS* MAGAZINE,
CREATIVE HOTSPOTS ARE DOCUMENTED
FROM A PERSONAL PERSPECTIVE,
IN IMAGE AND TEXT.
PAGES 90-91: CAPTURES OF WEB SITE
FOR THE ARTICLES.
2007-2008

GEEN ENKEL VOORWERP IS IN WERKELIJKHEID VOLLEDIG ZWART, ER WORDT ALTIJD WEL IETS VAN HET LICHT TERUGGEKAATST. EEN UITZONDERING IS HET ZWARTE GAT, WAARUIT DOOR DE GROTE ZWAARTEKRACHT GEEN LICHT KAN ONTSNAPPEN. OOK DE BIJLMER NIET, ZEKER NU FLAT ER ACTIEF IS!

De Bijlmer wordt opgelapt. Dit moet uiteindelijk leiden tot een minder eenzijdige bevolkingssamenstelling en een prettiger woonomgeving. De Bijlmer is onderverdeeld in buurten die met een letter worden aangeduid. Straten en flats in deze buurten hebben een naam die met deze letter begint. Dit maakt het makkelijker de naam van je buurt te onthouden. In de F buurt staat de flat Florijn waarin de FLAT-groep woont en werkt en hun (aanzienlijke hoeveelheid) kinderen opvoedt. Behalve dat dit een erg huiselijk en intieme werksfeer creëert draagt deze situatie ook bij aan het contact tussen de groepsleden en hun buurtbewoners. De kinderen zijn de natuurlijke geleiders van alle interessante ideeën en uitingen van de FLAT-leden.

Om op een wat directere wijze de volwassen buurtgenoten te bereiken organiseerde de FLAT-groep eind februari een interventieweekend waarin interactie aangegaan werd met de nabije omgeving. Richard Niessen ontwierp en plaatste bordjes op de flat met daarop de geboorteplaatsen van de FLAT-leden. Els Beukers organiseerde een wandeling waarin ze de historische achtergronden van de Bijlmermeer zichtbaar maakte. Mark Meeuwenoord maakte een *soundscape* van geluiden in en om de flat. Kaleb de Groot en Roosje Klap maakten een *inflatable* object en plaatsten hierbij een sculptuur van grofvuil uit de buurt. Esther de Vries ontwierp tassen met hierop de gemeentewapens van alle deelnemers. Jennifer Tee maakte palen met teksten over de identiteit en vroeg mensen die rond te dragen. Peter Stel bood buurtbewoners een poster aan met de tekst 'I am home' en verzocht hen deze op te hangen indien de tekst van toepassing was. Merel van 't Hullenaar plaatste windvanen voor de flat die het geluid en de vorm van overvliegende vliegtuigen nabootste. David Jablonowski maakte een sculptuur gebaseerd op de buurtkleuren.

In dit zelfde weekend werd ook PamFLAT#01 gelanceerd, een caleidoscopisch tijdschrift bestaande uit tien posters refererend aan de individuele interventies van de FLAT-leden. Ondanks dat veel van de 3000 exemplaren hun weg vonden naar plekken waar ook afgedankte reclameblaadjes belanden, staat de tweede editie al op het programma.

Samen met mijn gids en FLAT-lid Peter Stel rijden en lopen we door de buurt. We bekijken veertig jaar functionele stadsarchitectuur en de mensen die zich er tussen bewegen. Het besef van de grote culturele en biologische verschillen die zich tussen mij en de algemene Bijlmer-mens manifesteren maakt mijn hoofd aan het duizelen. Zouden negers net als zwarte website-interfaces CO2 neutraler zijn? Inktzwart, pikzwart, lampenzwart, roetzwart, ivoorzwart, gitzwart, potzwart. Zwart is geen kleur zoals de andere kleuren, maar moet eerder gezien worden als het ontbreken van de weerkaatsing van licht. Wat gebeurt er dan met al dit licht zodra het een neger raakt? Hoe kunnen deze schoenen maar vier euro kosten? Waarom zit iedereen hier maar? Hoe zou het hoofdkantoor van Stichting Eer en Herstel Betaling Slachtoffers van Slavernij zijn ingericht? Waarom hebben ze niet zulke roti's in Utrecht? Rood plus geel plus blauw is bruin, waar komt het blauw in negers vandaan? Waarom zijn deze bananen zo groot? Wat voor esthetiek zou er ontstaan als deze jeugd de kunstacademies zou betreden? Zouden zwarte vormgevers minder zwart gebruiken? Had het i-jusi magazine van Garth Walker ook hier kunnen ontstaan? Of is dit precies wat de FLAT-groep allemaal gaat uitzoeken de komende tijd. Ik hoop het maar.

flatstation.nl
mccuskey.nl/broedplaats voor me
FLAT-beeldmateriaal

liefs, Rowan in de Bijlme

FOTO'S, DEZE KANT ONDER, VAN LINKS NAAR RECHTS, VAN BOVEN NAAR ONDER: FLAT, ROWAN, NIESSEN & DE VRIES, PETER STEL, NIESSEN & DE VRIES, NIESSEN & DE VRIES, KLAP & DE GROOT, KLAP & DE GROOT, KLAP & GROOT, MEREL VAN 'T HULLENAAR, BUURT, NIESSEN & DE VRIES, NIESSE DE VRIES, BUURT, MARK MEEUWENOORD, PAMFLAT, PAMFLAT, PANFLAT, PAMFLAT. MEER FOTO'S OP MCCUSKEY.NL/BROEDPLAATS

broedplaats

weet zeker dat ik het
de Verenigde Staten ga
," zegt hij zelfbewust.
e weet - misschien lukt

die van de
getrokken is
Ivory" die Paul in de
elpee met Stevie Wonder.
gt elpee zijn verder ook
ael Jackson. Ringo Star
eorge Harrison en Linda
rtney te horen.
ngle verschijnt eind
elpee eind

ke stuk-
en touw-
gratis wc-
voor ge-
voor in-
ieuw-

at ik er goed
is ook zo. Bovend
altijd aardig en ik heb
oit een rothumeur.
in probleem: elke
leuke jongen heb
en laat hij niets me
oren. Ik begrijp

in

niemand heeft echt
elling voor haar. Logisch
e zich aan gaat stellen om
vallen. Als jullie haar
een beetje normaler
behandelen, haar
gevoel geven dat zij
buitenstaander is, dan geld

Zegt Annie, "want de jo
gaan in die tijd aan een niet
elpee werken. Bovendien
nen ze twee weken

meisjes in zee
blijven de oude
bij de pakken neerzit
hebben een advocaat
n genomen en eisen
e schadevergoeding
onrechtmatig aan de
gezet.

met elkaar ops
alleen één meisje da
ontzettend aanstelt
mag haar, want ze
altijd op te vallen
en al gezegd dat z
hoepelen maar ze
iet met ust. We
thuis blemen

n te doen,
at achter!" Hij gin
en, rukte het douche
pzij en ... zag de twee
staan. Gelukkig kende
er hen, anders had hij
de hersens ingeslagen.
s wisten van ellende
te zeggen. En ik

Anderson is in alle
etrouwd met zijn vrien-
ona Norklit. Het paar
t in de lente hun

MY CHASSIS FITS
LIKE A GLOVE
I'VE GOT
A BUTTON
FOR

2. 4. 5. 6. 7. 10. 11. 13. 8.

Gordijnen open doen gebeurt vaak door de rand van het gordijn met de hand te pakken en simpelweg opzij te trekken. Omdat hierbij de stof vuil kan worden zijn er ook andere technieken: er bestaan transparante glazen of plastic stokken die aan de laatste gordijnhaak worden bevestigd en waaraan men kan trekken zonder het gordijn zelf aan te raken. Een nieuwe groep mode-ondernemers heeft de taak om in de Arnhemse wijk Klarendal de gordijnen te openen. Nieuwe winkels, ateliers en horeca moeten nieuwe frisse mensen naar de wijk trekken. De laatste gordijnhaak wordt vastgemaakt aan de eindstop zodat het gordijn bij de muur blijft hangen en dingen niet uit de hand lopen.

De Arnhemse wijk Klarendal is bekend als Vogelaarwijk. Deze negentiende-eeuwse wijk stond eens bekend om zijn vele kleine winkels en grote bedrijvigheid. In de jaren zeventig van de vorige eeuw verloederde de wijk. Leegstand, drugsoverlast, nieuwbouw en gesloten gordijnen waren het gevolg. De komst van winkelcentra verdreef bijna alle overgebleven ondernemers uit de wijk. Opstand, rellen en gevechten met politie. Eind mei 2008 is na twee jaar voorbereiding het project 100%Mode in Klarendal officieel geopend. Dit project heeft tot doel het sociale en economische tij in de wijk te keren door de introductie van nieuw ondernemerschap, nieuwe werkgelegenheid en nieuwe ontmoetingsmogelijkheden. De mogelijkheden van de bestaande wijkstructuur worden gebruikt om er onderdak aan te bieden. Op dit moment grossiert de mode in Klarendal vooral in tassen- en accessoirewinkels. Deze zijn gevestigd in het reeds opgeknapte deel van de twintig toegewezen panden. Binnen twee jaar moet de opstart van het project afgerond zijn, moeten de ondernemers zelfstandig kunnen opereren en zal de ontstane dynamiek zijn vruchten af moeten werpen.

100%mode opereert maar op een klein stukje van de wijk Klarendal. In het straatbeeld is dan ook nog niet veel te zien van de te verwachten modieuze allure. Wat opvalt zijn de kleine, alledaagse bezigheden van de Klarendallers. Vrouwen zittend in de deuropeningen van hun huizen. Mannen in de weer met grote hoeveelheden gekleurde stroken matrasvulling. Geschreeuw uit een auto als een vrouw haar zoon een mep verkoopt. Een bovengemiddelde hoeveelheid mensen met honden. Ria die een koekje eet achter de ruit van Ri style nail studio. Een klant die in Bokaal sportbokalen boven zijn hoofd heft. Nog een schreeuw gevolgd door een confrontatie met merkwaardige asymmetrische nepdiamantjes op een ruimzittend T-shirt die waarschijnlijk fungeren als drukknoopjes. Nee, het was geen handgemeen, al klemde iemand een harige hand om mijn pols en stootte hij een knie tegen mijn bovenbeen. Het had wellicht een romantische worsteling kunnen worden als we onze slimfit spijkerbroeken tot balhoogte af hadden geknipt en ons hadden ingesmeerd met olijfolie uit zijn winkel. Terwijl ik probeer uit te leggen dat de typografische opmaak van zijn winkelruit mij doet denken aan een website uit de jaren negentig verbeeld ik mijzelf al met mijn hoofd onder zijn oksel geklemd. De elegische klanken die ik uitsla worden regelmatig onderbroken door een herhalend 'nee' dat eindigt met 'foto wissen allemaal'.

Gordijnen aan een buitenraam worden meestal opgehangen om nieuwsgierige blikken buiten te houden, maar zijn er vooral ook om het binnenshuis gezellig te maken. De gemeente Arnhem wil de gordijnen open en gaat dit met 100%Mode klaar proberen te spelen. Er is nog een weg te gaan voordat de gezelligheid op straat de gezelligheid binnenshuis zal overstemmen. In de overgangsfase zou vitrage een goede optie zijn. Als de gordijnen na verloop van tijd eenmaal openen zijn er ook nog esthetische keuzes te maken. Gordijnen kunnen in twee delen worden opgehangen, zodat de helft naar links en de helft naar rechts schuift, maar ook komt het voor dat het hele gordijn aan één kant wordt opgehangen.

Heb jij problemen waar je niet geen antwoord wilt hebben.

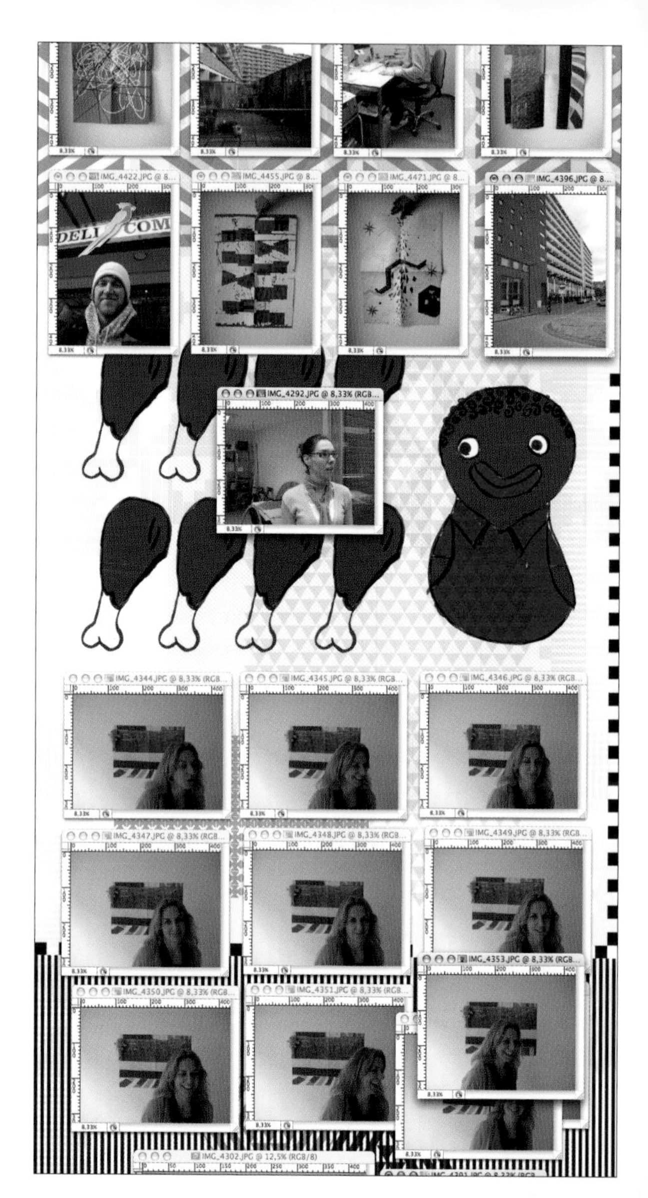

IMG_4422.JPG @ 8...
IMG_4455.JPG @ 8...
IMG_4471.JPG @ 8...
IMG_4396.JPG @ 8...
DELI COM
IMG_4292.JPG @ 8,33% (RGB...
IMG_4344.JPG @ 8,33% (RGB...
IMG_4345.JPG @ 8,33% (RGB...
IMG_4346.JPG @ 8,33% (RGB...
IMG_4347.JPG @ 8,33% (RGB...
IMG_4348.JPG @ 8,33% (RGB...
IMG_4349.JPG @ 8,33% (RGB...
IMG_4353.JPG @ 8,33% (RGB...
IMG_4350.JPG @ 8,33% (RGB...
IMG_4351.JPG @ 8,33% (RGB...
IMG_4302.JPG @ 12,5% (RGB/8)

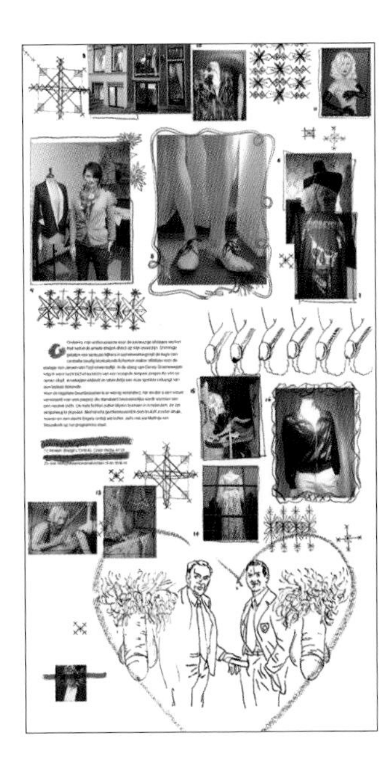

Esther
kokmijer
/
Daarzijn
Ewoud
van Rijn
Karin de
Jong,
Cora
Roorda

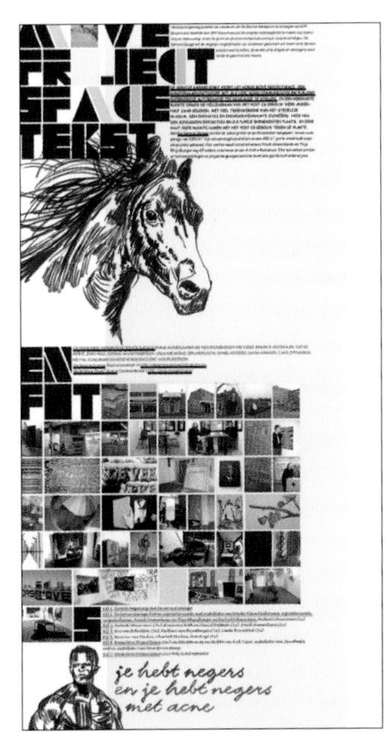
je hebt negers
en je hebt negers
met acne

CRISIS
SÉRIE D'AUTOPORTRAITS
AUTOUR DU THÈME DE LA LUMIÈRE
À DES HEURES SOMBRES ET
PRÉSENTATION DE MA PROPRE
COLLECTION DE SOUS-VÊTEMENTS
2008

CRISIS
SELF-PORTRAIT SERIES EXAMINING
LIGHT IN DARK TIMES AS WELL AS
EXHIBITING PARTS OF MY EXTENDED
UNDERWEAR COLLECTION
2008

PAGES 94 À 97 :
JETLAG
CONCEPTION ET DESIGN DE
LA CAMPAGNE PUBLICITAIRE.
INSPIRATION SCOLAIRE
ET TRAVAUX D'AIGUILLE
APPLIQUÉS À DIFFÉRENTS
SUPPORTS ET PUBLICITÉS
POUR LES SPONSORS
2003

PAGES 94 TO 97:
JETLAG LOUNGE
PUBLICITY CAMPAIGN
CONCEPT AND DESIGN.
BACK TO SCHOOL, BACK
TO (NEEDLE) WORK, APPLIED
TO VARIOUS MATERIALS AND
ADVERTISEMENTS FOR SPONSORS
2003

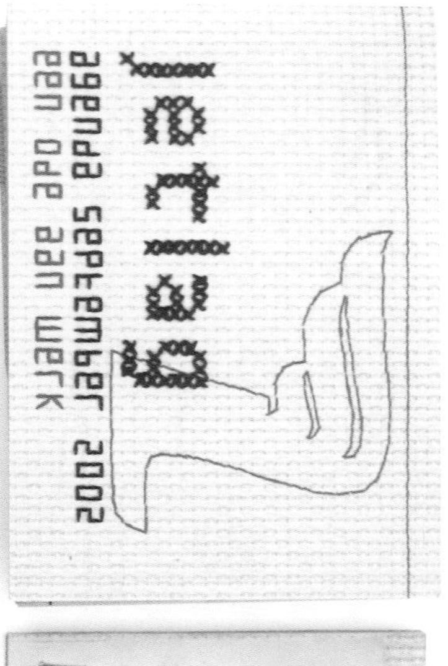

jetlag
agenda september 2002
een ode aan werk

Aan dit boekje is door ons de meeste zorg besteed.
Wij hebben echter geen beter resultaat kunnen verkrijgen.
Eventuele oneffenheden kunnen niet worden verwijderd, zonder het boekje te beschadigen.
JETLAG
Uitgave: Jetlag Kettingstraat 12b Den Haag
info@jetlag-lounge.nl - www.jetlag-lounge.nl
Vormgeving: Rowan McCuskey
Druk: Drukkerij Moretus bv, Den Haag

LUCKY STRIKE
DON'T FORGET YOUR
lip-stick
roze
rood
donkerrood
grijs
licht grijs
SMIRNOFF
Week 35
Do 5 sep Jetlag Café
met wisselende Dj's
(23.00-04.00/gratis entree)
Vrij 6 sep 020 Drum 'n' Bass Party
(24.00-05.00/€7,00)
Zat 7 sep SoulSonic
by DelaSarge
(24.00-05.00/€7,00)
Week 36
Do 12 sep Jetlag Café
met wisselende Dj's
(23.00-04.00/gratis entree)
Vrij 13 sep JetFunk DJ Le Funkubine
(24.00-05.00/ gratis entree voor
boardingpass-houders)
Zat 14 sep SoulSonic
by DelaSarge
(24.00-05.00/€7,00)

Week 37
Do 19 sep Comedy Night
met MC Tim Ward (US), Joxe (US)
WilkoTerwijn (NL),Tom Slichting
(NL), en HLT-Rexx (US)
(20.00-23.00/€8,00)
Do 19 sep Jetlag Café
met wisselende DJ's
(23.00-04.00/gratis entree)
JETLAG

Week 37
Do 19 sep Comedy Night
met MC Tim Ward (US), Joxe (US)
WilkoTerwijn (NL),Tom Slichting
(NL), en HLT-Rexx (US)
(20.00-23.00/€8,00)
Do 19 sep Jetlag Café
met wisselende DJ's
(23.00-04.00/gratis entree)
every saturday
JETLAG
Week 38
Do 26 sep Jetlag Café
met wisselende DJ's
(23.00-04.00/gratis entree)
Vrij 27 sep Classic Groove
met DJ DelaSArge & Cookie
>> 2 jarig bestaan Jetlag
(24.00-05.00/€7,00/ gratis
entree voor boardingpass-
houders)
ATV-DAG
BRUTO-netto
A*K*V
NEGEN TOT VIJF
DE VOLDOENING
ENTREPRENEUR
JETLAG

designergsign / 074 / YOU & MCCUSKEY

PAGES 98 À 101 :
MARTYN F. OVERWEEL
CONCEPTION DE L'IDENTITÉ VISUELLE,
DIRECTION ARTISTIQUE ET DESIGN
POUR L'ARTISTE/MODÈLE.
POLICE « MARTIJN », CARTES
ET SITE WEB
2005-2007

PAGES 98 TO 101:
MARTYN F. OVERWEEL
VISUAL IDENTITY CONCEPT,
ART DIRECTION AND DESIGN
FOR ARTIST/MODEL.
TYPE "MARTIJN," CARDS
AND WEBSITES
2005-2007

ABCDEFGH
IJKLMNOPQRS
TUVWXYZ!?/\
1234567890X-

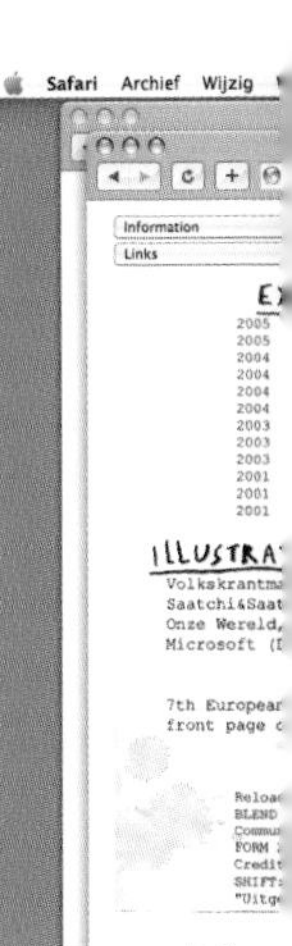
Safari Archief Wijzig
Information
Links
2005
2005
2004
2004
2004
2004
2003
2003
2003
2001
2001
2001

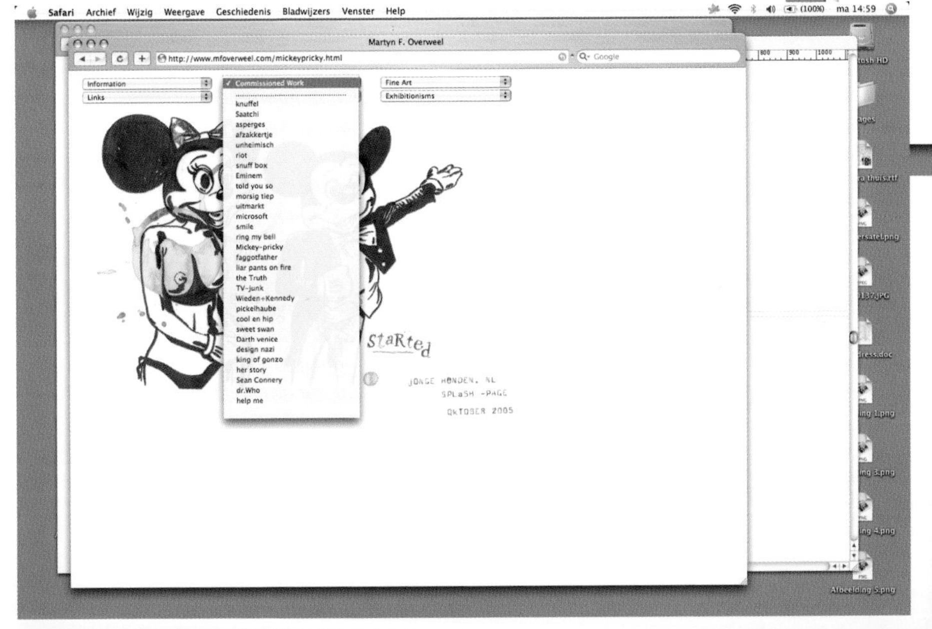
Safari Archief Wijzig Weergave Geschiedenis Bladwijzers Venster Help
(100%) ma 14:59
Martyn F. Overweel
http://www.mfoverweel.com/mickeypricky.html
Google
Information
Links
✓ Commissioned Work
knuffel
Saatchi
asperges
afzakkertje
unheimisch
riot
snuff box
Eminem
told you so
morsig tiep
uitmarkt
microsoft
smile
ring my bell
Mickey-pricky
faggotfather
liar pants on fire
the Truth
TV-junk
Wieden+Kennedy
pickelhaube
cool en hip
sweet swan
Darth venice
design nazi
king of gonzo
her story
Sean Connery
dr.Who
help me
Fine Art
Exhibitionisms
StaRted
JONGE HONDEN. NL
SPLaSH -PAGE
OkTOBER 2005

Geschiedenis Bladwijzers Venster Help
ma 14:57
Martyn F. Overweel
Commissioned Work
Fine Art
Exhibitionisms
✓ UNISECS deejayduo
personal edgy hit-mixx
State-X New Forms
Nieuwe Anita
GEM
TodaysArt
W 139
1646
hoedenfeestje
Westergasfabriek
Bitterzoet
club 11
PaardvanTroje
de Klap
TOILETTEN
AWARD
ARTICLES
Safari Archief Wijzig Weergave Geschiedenis Bladwijzers Venster Help
ma 14:57
Martyn F. Overweel
http://www.mfoverweel.com/asperges.html
Information
Links
Commissioned Work
Fine Art
Exhibitionisms
✓ UNISECS deejayduo
personal edgy hit-mixx
State-X New Forms
Nieuwe Anita
GEM
TodaysArt
W 139
1646
hoedenfeestje
Westergasfabriek
Bitterzoet
club 11
PaardvanTroje
de Klap
JANUARI 2006
Volkskrant magazine

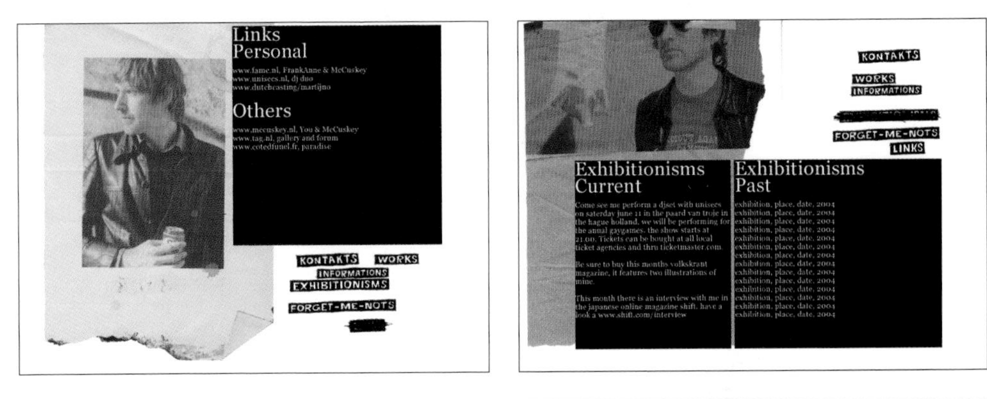

Informations
Personal

Born 12/26/1971 in the northwest holland left home once when he was twelve born 12/26/1971 in the northwest holland left home once when he was twelve returned a few hours later
Born 12/26/1971 in the northwest holland left home once when he was twelve returned a few hours.

Born 12/26/1971 in the northwest holland left home once when he was twelve born.

Business

Born 12/26/1971 in the northwest holland
Left home once when he was twelve
returned a few hours late

KONTAKTS WORKS EXHIBITIONISMS FORGET-ME-NOTS LINKS

MINISTÈRE DE L'INFRASTRUCTURE
DES PAYS-BAS
CONCEPTION ET DESIGN DE
LA CAMPAGNE D'INFORMATIONS
RELATIVE À LA NOUVELLE
NUMÉROTATION TÉLÉPHONIQUE
CARTES ET AFFICHES
2004

NETHERLANDS MINISTRY
OF INFRASTRUCTURE
CAMPAIGN CONCEPT AND
DESIGN FOR NEW INFORMATION
TELEPHONE NUMBER
CARDS AND POSTER
2004

Dans un pays aussi petit et peuplé que les Pays-Bas, l'infrastructure de communication joue un rôle crucial. Un numéro a été mis à la disposition des habitants pour qu'ils puissent exprimer leurs opinions et poser leurs questions. Pour renforcer l'accessibilité de ce nouveau service, le concept « small people, big problems » (petites personnes, gros ennuis) a été élaboré.

In a small and crowded country like the Netherlands, infrastructure is of great importance. To provide the Dutch people the ability to express any question or complaint, a new phone number was presented. To accentuate the accessibility of this phone number the slogan "small people, big problems" was created.

A B C D E F G H I J K L M

N O P Q R S T U V W X Y Z

a b c d e f g h i j k l m

n o p q r s t u v w x y z

, . / \ < > ? : ! @ # = + - ( )

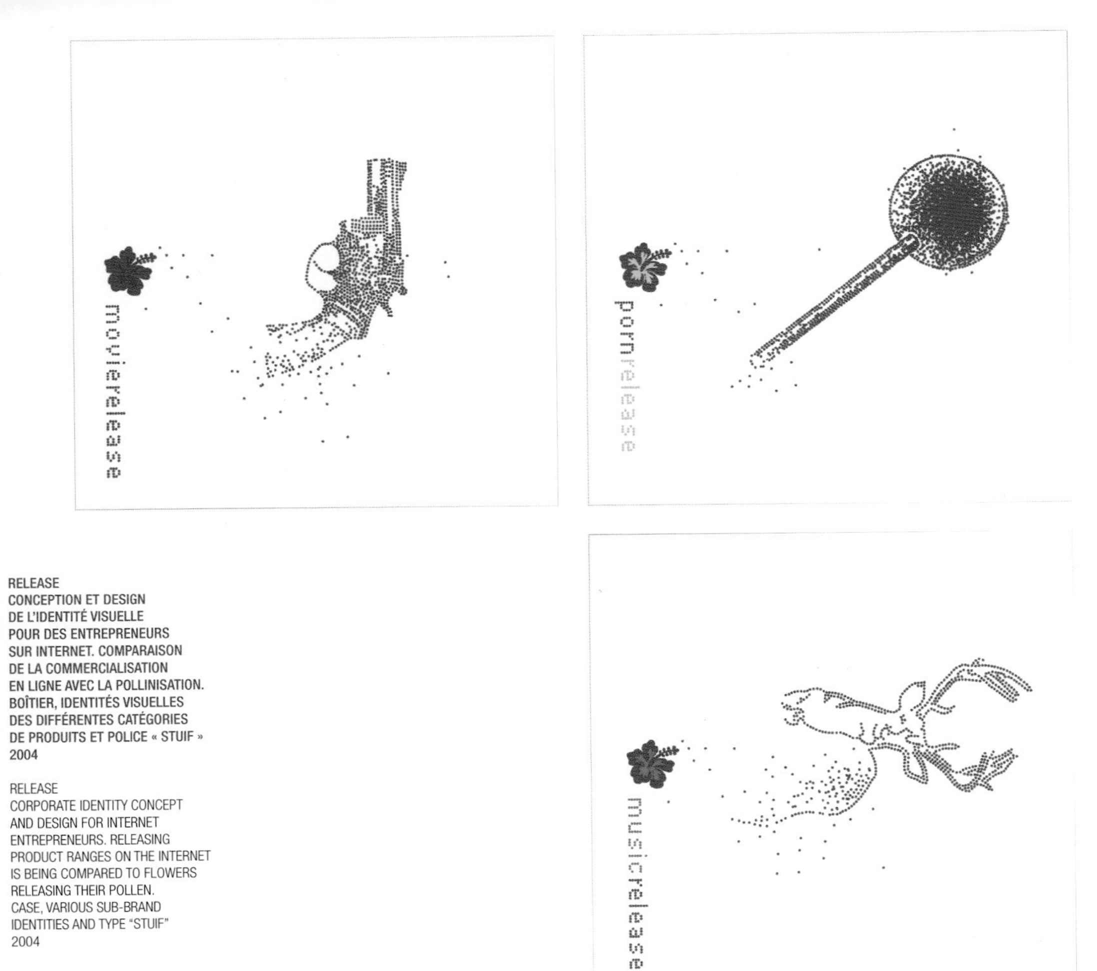

RELEASE
CONCEPTION ET DESIGN
DE L'IDENTITÉ VISUELLE
POUR DES ENTREPRENEURS
SUR INTERNET. COMPARAISON
DE LA COMMERCIALISATION
EN LIGNE AVEC LA POLLINISATION.
BOÎTIER, IDENTITÉS VISUELLES
DES DIFFÉRENTES CATÉGORIES
DE PRODUITS ET POLICE « STUIF »
2004

RELEASE
CORPORATE IDENTITY CONCEPT
AND DESIGN FOR INTERNET
ENTREPRENEURS. RELEASING
PRODUCT RANGES ON THE INTERNET
IS BEING COMPARED TO FLOWERS
RELEASING THEIR POLLEN.
CASE, VARIOUS SUB-BRAND
IDENTITIES AND TYPE "STUIF"
2004

PAGES 106 À 113 :
TAG GALLERIES
CONCEPTION DE L'IDENTITÉ
D'EXPOSITIONS ORGANISÉES
DANS DIFFÉRENTS LIEUX
ET DESIGN PUBLICITAIRE
2006-2008

PAGES 106 TO 113:
TAG GALLERIES
EXHIBION IDENTITY CONCEPTS
FOR VARIOUS EXHIBITIONS
AT VARIOUS LOCATIONS
AND PUBLICITY DESIGN
2006-2008

PAGES 106 À 109 :
ERRORKOERPER ENVIRONMENT
DESIGN DE L'IDENTITÉ
DE L'EXPOSITION
2008

PAGES 106 TO 109:
ERRORKOERPER ENVIRONMENT
EXHIBITION IDENTITY DESIGN
2008

INSTALLATION AND GENERATIVE COMPOSITION
"ERRORKOERPER ENVIRONMENT"
E / E
COMPOSER GUITARIST
"RENKEL"
<>TAG presents ERRORKOERPER ENVIRONMENT, an i
generative composition by German composer / gu
An exhibition bringing together visual and mus
and inviting audience interaction, the opening
will also feature the artist performing a re
electric guitar and electronics. This opening
of Dag in de Branding edition 06.
OPENING CONCERT: SATURDAY 1 DECEMBER AT 17:00
EXHIBITION: OPEN WEDS-SAT, 12:00-17:00, END 19
LOCATION: <>TAG, STILLEVEERKADE 19, DEN HAAG

“ERRORKOERPER
ENVIRONMENT”
“RENKEL”

INST TION
AND
GEN IVE
COM SITION

"ERRORKOERPER
ENVIRONMENT"

/

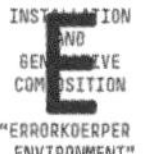

CO ER
GU ARIST

"RENKEL"

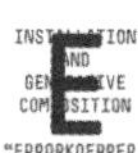

<>TAG presents ERRORKOERPER ENVIRONMENT, an installation and generative composition by German composer / guitarist RENKEL. An exhibition bringing together visual and musical aesthetics and inviting audience interaction, the opening on 1 December will also feature the artist performing a related work for electric guitar and electronics. This opening event is part of Dag in de Branding edition 08.

OPENING CONCERT: SATURDAY 1 DECEMBER AT 17:00
EXHIBITION: OPEN WEDS-SAT, 12:00-17:00, END 19 JANUARY 2008
LOCATION: <>TAG, STILLEVEERKADE 19, DEN HAAG

The ERRORKOERPER ENVIRONMENT consists of nine objects made of heavy grey cotton. Inside each of these objects is a sounding object: sets of strings, e-bows, noise generators, metal, steel vessels, marimbas and so forth. The sounding objects get their electricity supply from solar cells placed inside the room. These solar modules are activated by spotlights in such a way that they can be controlled by the public via a light-mixing desk. Once an object begins to sound, various musical parameters are controlled by a computer, each change provoking further actions.

The whole setup represents an initiation of communication. The observer isn't part of a passive audience, but an "Interactor" who implements a process, an "Autopoiesis". [After H. Manturana]: The performance is set in motion because it is in permanent reflection and self-organisation, permanently informing itself, creating a system.

For the exhibition's opening on 1 December, a slow, fluent, gradual transition will take place during which time the ENVIRONMENT will turn into a solo performance of ERRORKOERPER for electric guitar, effects processor and computer.

RENKEL [1965 Germany] studied classical guitar in Hamburg. The main emphasis of his work is an interest in open methods of composition. His guitar playing straddles tradition and the development of a personal language that includes extended playing techniques and the preparation of the acoustic guitar. In a logical continuation he also extends the instrument via computer technology and live electronics and collaborates with video- and fine arts. The acoustc guitar is modified in a way that blurs the delineation between acoustic preparation and electronic variance. In his electric guitar work the instrumental material is altered using preparations, laptops and live electronics: the further development of this setup is his self-constructed amplified stringboard. RENKEL also works with field recordings [e.g. from Indonesia] and composes works that experiment with genetic processes via generation, mutation, hybridization and coding. He investigates the rhythmical structures of language and works with computer generated complex machines.

<>TAG / www.tag004.nl
Dag in de Branding / www.dagindebranding.nl
Renkel / www.renkel.org

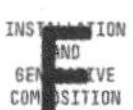

<>TAG presents ERRORKOERPER ENVIRONMENT, an installation and generative composition by German composer / guitarist RENKEL. An exhibition bringing together visual and musical aesthetics and inviting audience interaction, the opening on 1 December will also feature the artist performing a related work for electric guitar and electronics. This opening event is part of Dag in de Branding edition 08.

OPENING CONCERT: SATURDAY 1 DECEMBER AT 17:00
EXHIBITION: OPEN WEDS-SAT, 12:00-17:00, END 19 JANUARY 2008
LOCATION: <>TAG, STILLEVEERKADE 19, DEN HAAG

The ERRORKOERPER ENVIRONMENT consists of nine objects made of heavy grey cotton. Inside each of these objects is a sounding object: sets of strings, e-bows, noise generators, metal, steel vessels, marimbas and so forth. The sounding objects get their electricity supply from solar cells placed inside the room. These solar modules are activated by spotlights in such a way that they can be controlled by the public via a light-mixing desk. Once an object begins to sound, various musical parameters are controlled by a computer, each change provoking further actions.

The whole setup represents an initiation of communication. The observer isn't part of a passive audience, but an "Interactor" who implements a process, an "Autopoiesis". [After H. Manturana]: The performance is set in motion because it is in permanent reflection and self-organisation, permanently informing itself, creating a system.

For the exhibition's opening on 1 December, a slow, fluent, gradual transition will take place during which time the ENVIRONMENT will turn into a solo performance of ERRORKOERPER for electric guitar, effects processor and computer.

RENKEL [1965 Germany] studied classical guitar in Hamburg. The main emphasis of his work is an interest in open methods of composition. His guitar playing straddles tradition and the development of a personal language that includes extended playing techniques and the preparation of the acoustic guitar. In a logical continuation he also extends the instrument via computer technology and live electronics and collaborates with video- and fine arts. The acoustc guitar is modified in a way that blurs the delineation between acoustic preparation and electronic variance. In his electric guitar work the instrumental material is altered using preparations, laptops and live electronics: the further development of this setup is his self-constructed amplified stringboard. RENKEL also works with field recordings [e.g. from Indonesia] and composes works that experiment with genetic processes via generation, mutation, hybridization and coding. He investigates the rhythmical structures of language and works with computer generated complex machines.

<>TAG / www.tag004.nl
Dag in de Branding / www.dagindebranding.nl
Renkel / www.renkel.org

Malwarez is a series of visualizations of worms, viruses, trojans and spyware code. For each piece of disassembled code, API calls, memory addresses and subroutines are tracked and analyzed. Their frequency, density and grouping are mapped to the inputs of an algorithm that grows a virtual 3D entity. Therefore the patterns and rhythms found in the data drive the configuration of the artificial organism

MALWAREZ
DESIGN DE L'IDENTITÉ
DE L'EXPOSITION
2008

MALWAREZ
EXHIBITION IDENTITY DESIGN
2008

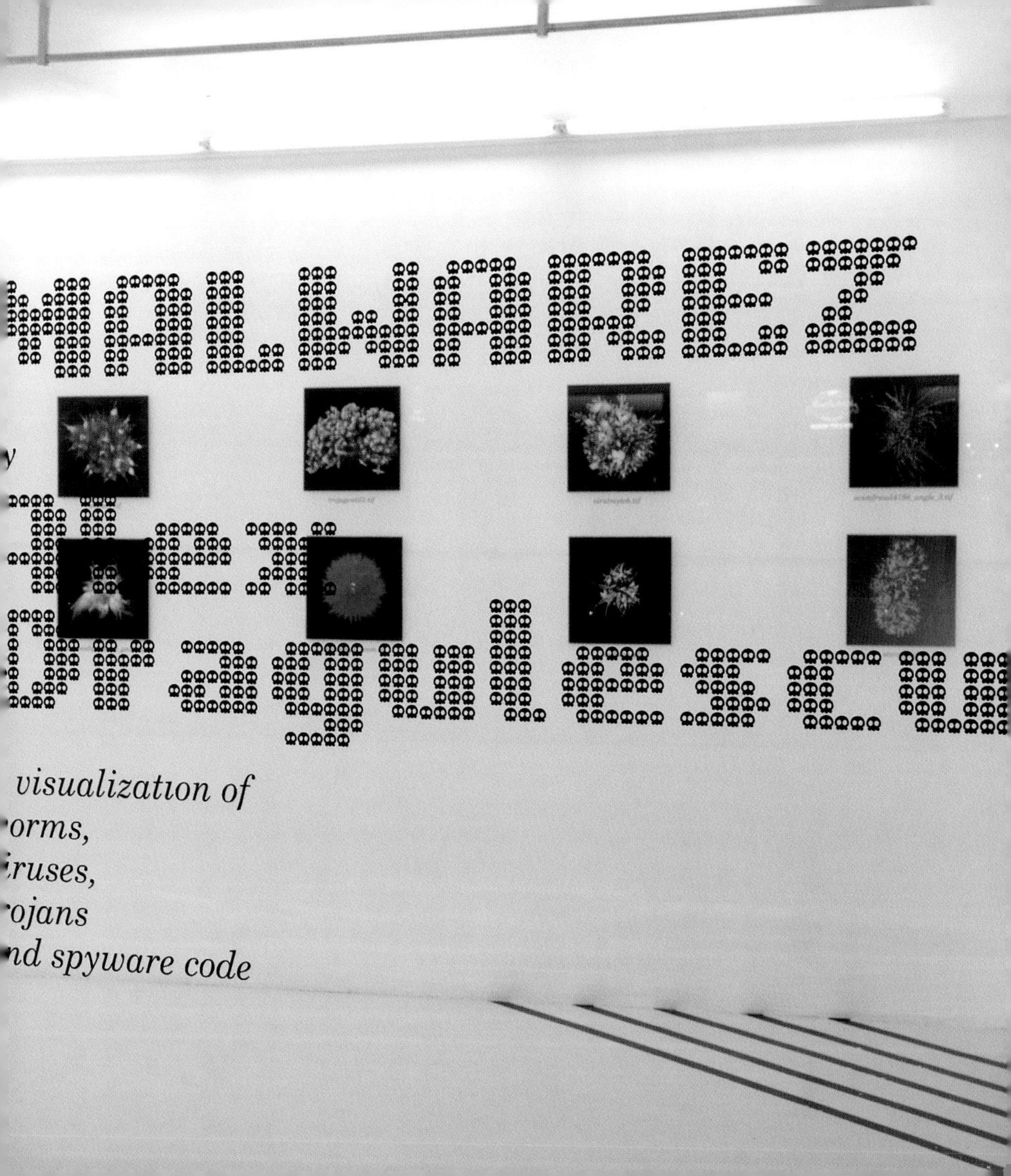
MALWAREZ
visualization of
orms,
iruses,
rojans
nd spyware code

Dirk
Pereres
Project

Downloading and sharing music, films, software and other data is usually done by means of peer-to-peer (p2p) networks. p2p software like Limewire and Acquisition offer the possibility to share specified documents on computers with other users, who have access to the data through an Internet connection.

settings in these exchange programmes, causing far more data to be accessible than originally planned. In this way, a lot of 'sensitive' information is being unconsciously offered.

Dirk Pereres spent a year gather-
bank information, scanned pass-
and so on. This resulted in the so-called Dirk Pereres Ar-

DIRK PERERES PROJECT
DESIGN DE L'IDENTITÉ
DE L'EXPOSITION
2006

DIRK PERERES PROJECT
EXHIBITION IDENTITY DESIGN
2006

PHANTOM ELECTRIC
DESIGN DE L'IDENTITÉ
DE L'EXPOSITION
2006

PHANTOM ELECTRIC
EXHIBITION IDENTITY DESIGN
2006

COMPOSITION
IN BLACK
AND WHITE
(PHANTOM ELECTRIC)
Revised-replicas
of an Adidas sports jacket
by Lisa Gallacher

PAGES 114 À 119 :
« THE ONE WEEKEND BOOK SERIES »
RÉDACTION, ILLUSTRATION
ET EXPÉRIMENTATIONS AUTOUR
DE LA PROMOTION D'UN PROJET
LANCÉ PAR TWOPOINTS ET INITIÉ
PAR MARTIN LORENZ, CONSISTANT
À CRÉER UN LIVRE EN 48 HEURES.
LE TEXTE TÉMOIGNE DE L'INTENSITÉ
EXHIBITIONNISTE DU PROJET.
ILLUSTRATIONS ET TEXTES
DE MARTIN LORENZ
2005

PAGES 114 TO 119:
"THE ONE WEEKEND BOOK SERIES"
COPYWRITING, ILLUSTRATIONS
AND PERFORMANCES PROMOTING
A TWOPOINTS PROJECT INITIATED
BY MARTIN LORENZ THAT SETS
A 48-HOUR TIME FRAME TO CREATE
A BOOK. TEXTS WERE WRITTEN
STATING THE EXHIBITIONISTIC
INTENSITY OF THE PROJECT.
ILLUSTRATIONS AND TEXTS
BY MARTIN LORENZ
2005

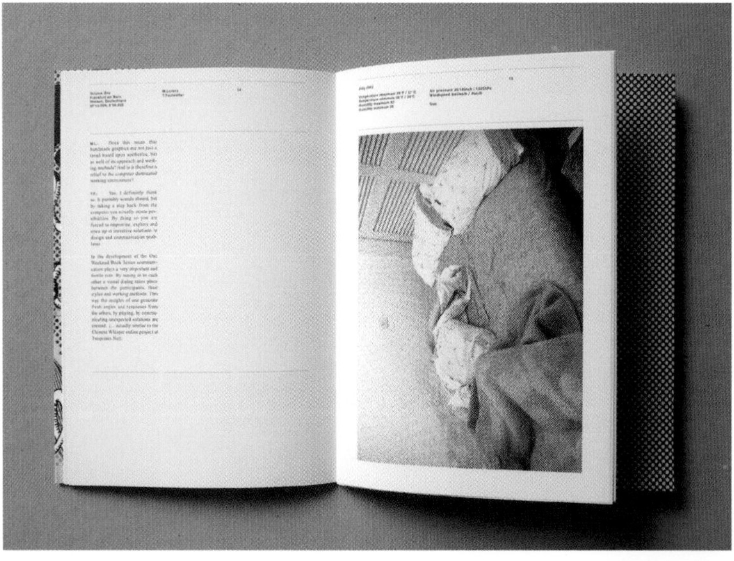

M.L. Does this mean that handmade graphics are not just a trend based upon aesthetics, but as well of an approach and working methods? And is it therefore a relief to the computer dominated working environment?

Y.F. Yes, I definitely think so. It possibly sounds absurd, but by taking a step back from the computer you actually create possibilities. By doing so you are forced to improvise, explore and open up to inventive solutions to design and communication problems.

In the development of the One Weekend Book Series communication plays a very important and fertile role. By [illegible] to each other a visual dialog takes place between the participants, their styles and working methods. This way the insights of one generate fresh angles and responses from the others, by playing, by constructing unexpected solutions are created. (... actually similar to the Chinese Whisper online project at Twopoints.Net).

When tourists become lost, overwhelmed, tired, inspired, bored, enlightened, confronted, hungry, upset, tipsy, get cheated or fall in love, perceptions change and surprising associations and experiences come to light. In trying to figure out a city, they are primarily investigating themselves.
In each issue M. Lorenz and a Guest Artist are given 48 hours to experience a city, document it and create a visual diary without the use of computers. What this results to is the documentation of a 48-hour search for visual entertainment and the definition of the city visited.
On one hand The One Weekend Book Series reports of places and situations unmentioned in city-guides, on the other hand it gives an exhibitionistic view of the personal state of the reporters. In trying to figure out a city, in this case, they are mainly concerned with creating a book.

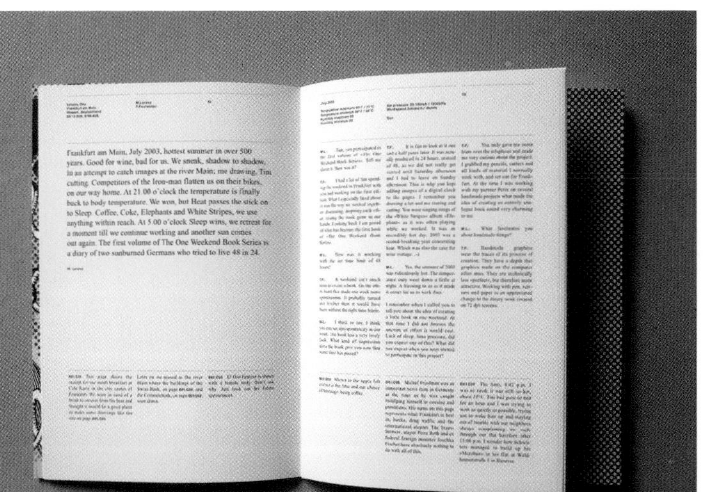

Frankfurt am Main, July 2003, hottest summer in over 500 years. Good for wine, bad for us. We sneak, shadow to shadow, in an attempt to catch images at the river Main; me drawing, Tim cutting. Competitors of the Iron-man flatten us on their bikes, on our way home. At 21.00 o'clock the temperature is finally back to body temperature. We won, but Heat passes the stick on to Sleep. Coffee, Coke, Elephants and White Stripes, we use anything within reach. At 5.00 o'clock Sleep wins, we retreat for a moment till we continue working and another sun comes out again. The first volume of The One Weekend Book Series is a diary of two sunburned Germans who tried to live 48 in 24.

Tired and afraid of becoming desecrators we eat lunch behind windows looking out. Frankfurt, one of the first financial centres in Europe and since 1998 headquarters of the European Central Bank, has the flair of a manageable mini-metropolis and a Jewish retreat just outside our house. I do not feel German and I do not feel Dutch and I do not feel American, although the pretzel tastes good. We imagine the leaves, shuffling the collection images on the linolium, the deaf cat that licked my feet the night before, Martin and me.

R.J.McCuskey

Preface

Frankfurt am Main, July 2003, hottest summer in over 500 years. Good for wine, bad for us. We sneak, shadow to shadow, in an attempt to catch images at the river Main, me drawing Tim cutting. Competitors of the Ironman flatten us on their bikes, on our way home. At 21.00 o'clock the temperature is finally back to body temperature. We won, but Heat passes the stick on to Sleep. Coffee, Coke, Elephants and White Stripes we use anything within reach. At 5.00 o'clock Sleep wins, we retreat for a moment till we continue working and another sun comes out again. The first volume of TheOneWeekendBookSeries is a diary of two sun burned Germans who tried to live 48 in 24.

M.Lorenz

EXPÉRIMENTATION AVEC MARTIN LORENZ DE TWOPOINTS.NET POUR PROMOUVOIR « THE ONE WEEKEND BOOK SERIES »
2005

PERFORMANCE WITH MARTIN LORENZ OF TWOPOINTS.NET PROMOTING THE ONE WEEKEND BOOK SERIES
2005

REMERCIEMENTS/ACKNOWLEDGMENTS:

Je remercie…
…tous mes clients d'avoir partagé avec moi leur argent, leurs bons ou leurs mauvais moments, et pour m'avoir laissé m'immiscer dans leur business.
…Martyn F. Overweel pour m'avoir aidé avec les illustrations de Concrete et Cloud 9 Cases, ainsi que pour tous les superbes moments passés avec *FAMC* ; Hicham Khalidi pour la constante excitation de dernière minute ; Mahoto Harada pour les innombrables déjeuners passés et à venir ; Laura Vermeulen pour m'avoir aidé, entre autres, sur le faire-part de CLI ; Nadine Stijns pour la réalisation commune de mon autoportrait et la photographie ; Yoshiki Iihara pour tout ce vers quoi nous allons ; Carlfried Verwaayen pour la photographie sur Cloud 9 et Alejandro Jr. ; Eelco Borremans et Robert Jan Verhagen pour les photographies de l'exposition « Tag » ; Michel Mees pour les photographies de Martyn F. Overweel ; Martin Lorenz pour les photographies de « One Weekend Book Series » et pour m'avoir fait participer à certains de ses projets ; Michiel Sikma pour avoir développé *concrete.nl* et *cloud9cases.jp* ; Inge de Peinder pour avoir dansé sur le projet que j'ai créé pour l'identité visuelle de la compagnie Dancing Matters ; Roelien Plaatsman pour ce qu'elle a si gentiment écrit à mon égard et Émilie Lamy pour avoir coordonné cette publication.
…tous ceux que j'ai embrassés ou que j'aurais souhaité avoir embrassés durant les différentes étapes de tous les projets présentés. Bises, Rowan.

I would like to thank…
…all clients for sharing your money, good times, bad times and letting me stick my nose into your business.
…Martyn F. Overweel for helping out with Concrete and Cloud 9 Cases illustrations as well as all the great moments with *FAMC*; Hicham Khalidi for the continuous last-minute excitement; Mahoto Harada for the many international lunches in the past and future; Laura Vermeulen for helping out with the CLI birth card amongst other things; Nadine Stijns for self-portrait co-creation and photography; Yoshiki Iihara for wherever we are heading; Carlfried Verwaayen for Cloud 9 and Alejandro Jr. product photography; Eelco Borremans and Robert Jan Verhagen for Tag exhibition photography; Michel Mees for Martyn F. Overweel photography; Martin Lorenz for "One Weekend Book Series" photography and including me into projects; Michiel Sikma for programming *concrete.nl* and *cloud9cases.jp*; Inge de Peinder for dancing the Dancing Matters identity; Roelien Plaatsman for the kind writings; Émilie Lamy for her work on this publication.
…everybody I have kissed or would like to have kissed during the process of any of the projects displayed. Kiss kiss, Rowan.

www.mccuskey.nl